VICTORIA
LA VEUVE RÉGNANTE

Catalogage avant publication de Bibliothèque et Archives nationales
du Québec et Bibliothèque et Archives Canada

Saunders, Danny, 1980-
Les reines tragiques
Sommaire: t. 4. Victoria, la veuve régnante.
ISBN 978-2-89585-224-7 (v. 4)
1. Victoria, reine de Grande-Bretagne, 1819-1901 - Romans, nouvelles, etc. I.
Titre. II. Titre: Victoria, la veuve régnante.
PS8637.A797R44 2010   C843'.6   C2010-940412-2
PS9637.A797R44 2010

Les Éditeurs réunis bénéficient du soutien financier de la SODEC
et du Programme de crédits d'impôt du gouvernement du Québec.

Nous remercions le Conseil des Arts du Canada
de l'aide accordée à notre programme de publication.

Nous reconnaissons l'aide financière du gouvernement du Canada
par l'entremise du Fonds du livre du Canada pour nos activités d'édition.

Édition :
LES ÉDITEURS RÉUNIS
www.lesediteursreunis.com

Distribution au Canada :   *Distribution en Europe :*
PROLOGUE   DNM
www.prologue.ca   www.librairieduquebec.fr

 Suivez Les Éditeurs réunis sur Facebook.

Imprimé au Canada

Dépôt légal : 2011
Bibliothèque et Archives nationales du Québec
Bibliothèque nationale du Canada
Bibliothèque nationale de France

DANNY SAUNDERS

LES REINES TRAGIQUES

Volume 4.

VICTORIA
LA VEUVE RÉGNANTE

LER
LES ÉDITEURS RÉUNIS

À nos disparu(e)s.

« *Puisqu'il a plu à la Providence de me mettre à cette place, je ferai tout mon possible pour accomplir mon devoir envers mon pays.* »

Victoria Ire
(au début de son règne)

AVANT-PROPOS

Dans ce quatrième livre de la collection « Les reines tragiques », j'ai voulu rendre hommage à l'une des souveraines les plus aimées de l'Histoire. *Victoria, la veuve régnante* vous entraînera dans la vie intime de cette reine britannique. Au sommet d'un Empire florissant, la puissante femme devra gouverner la destinée de centaines de millions de sujets. Elle dirigera d'une main habile des territoires répartis sur tous les continents du globe. Malgré l'inébranlable détermination de Victoria, le destin lui sera cruel et lui enlèvera l'amour de sa vie, son prince charmant. La mort de son mari, Albert de Saxe-Cobourg-Gotha, lui déchirera le cœur à jamais. Elle ne se remettra pas de la disparition du père de ses enfants. Jusqu'à son dernier souffle, ses pensées les plus douces seront réservées à son beau noble allemand.

Bien que plusieurs faits soient réels, ce roman historique ne se veut en aucun cas une œuvre biographique sur la reine Victoria Ire. Ce livre relate davantage les émotions – issues de mon imagination – de l'ancêtre d'Élisabeth II, reine actuelle de Grande-Bretagne. À la lecture de ce récit, vous découvrirez la force de cette veuve devant les manigances louches des politiciens de son entourage et les pièges de ses ennemis.

8

Ce livre dépeint toute la tristesse qu'on peut ressentir à la perte d'un être cher et les terribles conséquences qu'elle a sur les personnes endeuillées. « La grand-mère de l'Europe », surnom que les dirigeants de ce continent lui attribuèrent, portera le noir jusqu'à son décès, en 1901. Avec la mort de la reine Victoria, ce n'est pas uniquement une femme adulée que l'Empire perdra, mais c'est également une époque qui s'éteindra pour toujours. Pourtant, plus d'un siècle après sa disparition, sa présence est encore bien vivante dans les monarchies européennes. La plupart des rois et reines descendent directement ou indirectement de celle qui fut aussi l'impératrice des Indes.

PREMIÈRE PARTIE

Les années auprès du prince Albert

CHAPITRE I
Des souvenirs impérissables

Château de Windsor, 1900

ISOLÉE DE tous, Victoria se retira dans l'une de ses résidences favorites, le château de Windsor. Souffrante de plusieurs maux, dont de rhumatisme sévère, elle essayait vainement de remplir ses devoirs envers la Couronne royale. Malgré ses 81 ans, la femme la plus puissante de Grande-Bretagne détestait le fait qu'elle ne puisse plus contrôler les mouvements de son corps fatigué.

« Beatrice, ma chérie, j'aimerais me rendre dans les jardins pour profiter de la journée ensoleillée », demanda la souveraine à sa fille préférée.

Aussitôt, sans mot dire, la cadette des enfants de la reine se leva pour pousser le fauteuil roulant de sa mère.

ℒ

Depuis toujours, la princesse vivait dans l'ombre de la reine. Elle s'était résolue, malgré elle, à sacrifier sa propre vie pour le bien-être de sa mère. Avec les années, elle s'était taillée une place de choix au sein de la famille royale. Il était connu de tous

12

qu'elle occupait la prestigieuse fonction de bras droit de la souveraine. À vrai dire, la reine avait pleinement confiance en Beatrice. À plus d'une occasion, sa fille lui avait démontré toute sa loyauté et son efficacité. Depuis la mort de son mari, le prince Albert de Saxe-Cobourg-Gotha, Victoria avait tout fait pour garder la plus jeune de ses enfants auprès d'elle. Elle avait agi de manière égoïste et l'assumait sans gêne. Non pas qu'elle n'éprouvait pas d'amour envers sa progéniture, mais plutôt parce qu'elle craignait la solitude.

◆

À l'extérieur de la résidence, le soleil éblouissant était à son zénith. Une agréable odeur parfumée se répandait çà et là sur le domaine royal. Le ciel, d'une franche couleur grise, semblait pencher pour un ton bleu pâle. La reine, assise dans son véhicule, admirait les fleurs multicolores recouvrant le sol. Derrière, la princesse poussait lentement le fauteuil roulant de sa mère sur le gravier. Tout comme Victoria, Beatrice, âgée dans la quarantaine, entretenait une véritable passion pour l'horticulture. Au printemps, il n'était pas rare de l'apercevoir assise sur la terre humide, un bulbe à la main. Rien n'était plus exaltant pour cette femme que de creuser un trou dans le sol frais des jardins qui ne cessaient d'exploser.

« Mon enfant, dirigeons-nous vers cette petite fontaine », dicta la souveraine d'un geste maladroit du bras.

Elles avancèrent jusqu'à l'endroit indiqué par la femme autoritaire, vêtue de noir comme à l'accoutumée. Puis, Beatrice entendit des gémissements étouffés près d'elle. Elle chercha la provenance de ces pleurs et comprit rapidement que c'était sa mère qui versait des larmes. Cachée derrière un léger voile de couleur sombre, Victoria pleurait de chagrin. Des souvenirs douloureux venaient hanter son esprit.

« Madame, pourquoi cette tristesse subite ? » questionna Beatrice en essuyant le ruisseau d'eau sur les joues de sa mère.

Enfermée dans son mutisme, la reine n'entendit pas les paroles de sa cadette. Elle revoyait les images de son passé, et la douleur s'empara davantage de son être. Pour elle, cette fontaine signifiait les jours heureux du début de son règne.

« Mère, vous sentez-vous bien ? » demanda avec inquiétude la princesse en fixant le regard perdu de la souveraine.

« C'est ici que j'ai accepté ! » lança Victoria d'une voix tremblante.

« Votre Majesté, expliquez-vous, je vous en prie », insista Beatrice en déposant ses mains sur celles de la femme qui lui avait donné la vie.

La souveraine leva les yeux vers sa fille et assécha ses larmes avec un mouchoir blanc brodé de ses initiales.

« Ma douce Beatrice, à l'été 1839, votre père m'a demandé ma main ici même. Devant cette fontaine,

14

Albert m'a ouvert son cœur et m'a juré un amour éternel. »

Victoria venait de dévoiler un secret qu'elle avait jalousement gardé pendant toutes ces années. À plusieurs occasions, elle était venue se promener sur cette partie du domaine. Chaque fois, cela lui avait déchiré le cœur, mais personne n'avait été témoin de la scène. Aujourd'hui, c'était différent, sa fille cadette venait de découvrir un lieu symbolique hautement important pour elle. Dans un sens, la puissante femme se sentait à l'aise de partager avec son enfant ce moment mémorable.

« Voyez-vous, votre père était le plus aimant des maris de toute l'Angleterre. Jamais, je dis bien jamais, il ne m'a déçue durant notre mariage ! Le prince a toujours fait preuve de loyauté et de sentiments envers moi. Lorsque la maladie nous l'arracha, elle prit aussi possession d'une parcelle de mon être », dit la reine en pensant à son défunt époux.

Agenouillée devant le fauteuil roulant, Beatrice buvait les paroles de sa mère avec une certaine nostalgie. Elle adorait entendre des bouts de la vie de son père, qu'elle avait très peu connu. En effet, lorsque ce dernier mourut de la typhoïde, la jeune princesse n'avait pas encore cinq ans. À ses yeux, Albert n'était qu'un visage que le temps embrouillait dans son esprit.

« J'étais debout de ce côté, précisa la souveraine en montrant de la main l'endroit, et le prince, juste là. Il a déposé un genou au sol et m'a pris la main doucement. D'une voix charmante, qui résonne encore dans mes souvenirs, il m'a demandé de l'épouser... », poursuivit-elle, la gorge serrée.

La princesse, émerveillée de connaître ce passage de la vie de ses parents, imaginait l'homme en uniforme s'agenouillant devant celle qui faisait battre son cœur. Elle trouvait d'un romantisme chevaleresque le geste de son père. Beatrice savait qu'il n'était pas de coutume qu'un homme demandât une reine en mariage. Cette prérogative relevait du pouvoir du monarque uniquement. Elle saisissait toute l'ampleur des sentiments du prince par cette infraction à l'étiquette de la Cour royale britannique.

« Albert m'a promis de m'aimer jusqu'à son dernier souffle. Il a tenu parole... », enchaîna Victoria en éclatant en sanglots.

La douleur était visible sur le visage de la souveraine. Près de quarante ans après la disparition de son mari, elle souffrait encore. Vraisemblablement, le mal ne s'était pas estompé avec les années. Il lui arrivait même, lors de journées sombres, de maudire le Tout-Puissant de lui avoir pris son compagnon.

Bouleversée de voir sa mère dans un tel état, la princesse lui caressa l'avant-bras pour la réconforter. Un petit vent frisquet se leva inopinément et souffla sur le corps fané de Victoria. Une étrange sensation lui parcourut l'intérieur. L'espace d'un instant, la vieille dame fut convaincue de la présence de son époux. Il était avec elle et elle pouvait presque sentir son odeur. Les larmes aux yeux, elle laissa entrevoir un sourire de bonheur.

« Albert ! Vous êtes là… Vous ne m'avez pas quittée… », articula difficilement la souveraine, en tentant de toucher le fruit de son imagination.

Beatrice ne put retenir ses larmes devant la douleur déchirante de sa mère. Si Dieu l'avait voulu, elle aurait échangé sa place contre celle de la reine pour la soulager. Le Tout-Puissant en avait décidé autrement et la fille de la souveraine devait accepter l'inacceptable.

« Madame, l'heure du thé approche. Souhaitez-vous le prendre à l'intérieur ? » demanda la princesse afin de faire diversion.

Victoria, un peu confuse dans ses pensées, ne donna aucune réponse à sa cadette. Avait-elle même entendu ses paroles ? Sans attendre d'approbation, Beatrice poussa le fauteuil roulant de la reine jusqu'à l'intérieur de la majestueuse demeure. Elles se dirigèrent vers l'un des salons du rez-de-chaussée, situé non loin de la salle de bal.

Aidée de deux domestiques, la princesse essaya de relever la vieille femme pour l'installer sur un divan plus confortable. De peine et de misère, ils réussirent à soulever la corpulente dame avec beaucoup de délicatesse. Assise sur le canapé en bois, Victoria sembla moins triste. Soudain, son regard se porta sur un objet en porcelaine serti de pierres précieuses. La sculpture représentait un cheval surmonté d'un chevalier en armure. Le destrier velu écrasait avec ses sabots un long reptile vert alors que l'homme transperçait la tête de la bête rampante avec une lance dorée. À la vue du bibelot, de nouvelles images revinrent à la mémoire de la reine.

À leur dixième année de mariage, le prince Albert avait offert ce cadeau à son épouse en signe d'amour. De la hauteur d'un chat, la statuette avait immédiatement plu à la souveraine. Elle symbolisait la légende de saint Georges, patron chrétien de l'Angleterre, qui délivra une jolie princesse capturée par l'affreux monstre.

⌇

Selon les croyances, Georges de Lydda – un chrétien à la foi inébranlable – se rendit près de Beyrouth. Sur place, il combattit courageusement un féroce dragon. Le chevalier tua l'animal et sauva la fille du roi d'une mort certaine. Malheureusement, la piété de saint Georges l'amènera vers un sort tout aussi tragique que celui du monstre. Il sera emprisonné, battu et finalement décapité par les autorités politico-religieuses. Il trouvera la mort vers 303 après Jésus-Christ et sera élevé au rang de saint martyr par l'Église catholique romaine.

En 1348, en Angleterre, le roi Édouard III choisira Georges de Lydda comme nouveau patron national lors de la création de l'ordre de la Jarretière. La croix de saint Georges, en l'honneur de sa confession chrétienne, fut installée sur le drapeau officiel des Anglais.

18

✍

« Ma chère enfant, depuis la disparition de votre père, je me sens comme cette petite Alice lorsqu'elle tomba dans le terrier du lapin. Mais contrairement à cette gamine, je ne me suis nullement retrouvée au Pays des merveilles », laissa échapper la vieille femme en fixant la statuette des yeux.

Seules dans la pièce mal éclairée, la reine et sa fille passèrent le reste de la journée à échanger quelques souvenirs plus joyeux de leur passé. À l'heure du repas du soir, elles décidèrent de retourner à l'extérieur. Cette fois-ci, elles convinrent de prendre place près du foyer en pierre. L'air, sans la présence de l'astre solaire, était plus froid qu'en journée. Alors que les deux femmes s'apprêtaient à déguster leur volaille rôtie, elles reçurent la visite inattendue de la comtesse d'Essex. Cette dernière, une amie fidèle de la souveraine, était de passage dans la capitale. La noble ne pouvait faire autrement que de se rendre au château de Windsor. Même si la résidence royale était à plus de deux heures à cheval, Alexandra Spencer souhaitait saluer la reine. Leurs époux, de leur vivant, entretenaient une solide amitié. Avec les années, la souveraine et l'aristocrate s'étaient davantage rapprochées dans la souffrance de leur deuil.

« Votre Majesté, Sa Grâce la comtesse d'Essex sollicite une audience », annonça l'un des majordomes vêtus de rouge et or.

« Bien ! » répondit la vieille dame en essuyant ses lèvres avec une serviette de table.

Quelques minutes plus tard, l'amie fit son apparition auprès de Victoria. Comme l'exigeait l'étiquette de la Cour royale, Alexandra fit la révérence à la reine. Celle-ci l'invita à prendre place à ses côtés. Victoria était toujours heureuse de revoir cette pétillante veuve. Sa présence lui remontait le moral, surtout dans les périodes plus difficiles de sa vie. Tout comme le prince Albert, le mari de la comtesse était décédé d'une maladie de la gorge. Par contre, ce dernier avait rendu l'âme cinq ans après le noble germanique.

« Madame, ces dernières semaines, vous avez occupé mes pensées. J'ai entendu les députés de la Chambre des communes parler de l'annulation de votre périple en Irlande. Est-ce vrai ? » s'inquiéta la comtesse.

« Ma chère amie, pour une fois, ces hommes disent la vérité. Ma santé ne me permet plus de me déplacer sur de longs trajets. J'ai décidé, sur l'avis de mes médecins, de ne pas faire ce voyage sur l'autre île », affirma la souveraine d'Angleterre avec une certaine mélancolie.

Le rhumatisme avait déformé le corps fatigué de la reine et son poids l'empêchait de se déplacer avec facilité. Pour ces raisons, elle ne pouvait plus se permettre de se promener en carrosse et en bateau. Victoria ne sortait plus de la capitale, sauf pour se rendre dans son manoir sur l'île de Wight.

Assise près de sa mère et de l'aristocrate, Beatrice s'émerveillait de voir la souveraine reprendre goût à

20

la vie. Seule Alexandra savait redonner le sourire à la puissante femme. Lors des visites de la comtesse, la princesse pouvait revivre les moments joyeux du passé.

Par souci de sécurité, Victoria exigea que son amie passe la nuit au château de Windsor. Sans se faire prier, la voyageuse accepta l'offre avec une joie communicative.

⅋

Alexandra Spencer, de la prestigieuse famille Wood, naquit un matin de 1820, à Nottingham, lors d'une effroyable tempête de neige quasi historique. Sa mère, lady Margereth, perdit la vie à la suite du long et laborieux accouchement. Profondément attristé par la mort subite de son épouse, lord Martin Wood en imputa le tort au nourrisson. Dès la naissance de la fillette, il ne lui manifestera jamais le moindre sentiment. Très tôt, l'enfant sera envoyée dans un lointain pensionnat pour jeunes nobles. Elle y subira de nombreux sévices physiques et des troubles psychologiques.

En 1840, lors d'une rare sortie en ville, Alexandra fera la connaissance d'un jeune officier de la garde du roi. Les semaines suivantes, Brandon se rendra régulièrement auprès de sa bien-aimée. Au cours de ces fréquentations, ils découvriront tous deux le véritable amour, situation qui rendra pleinement heureuse la fille des Wood. L'année suivante, la nouvelle fiancée épousera le fils aîné du comte d'Essex lors d'une cérémonie fastueuse. Deux enfants naîtront de cette union sincère et solide.

Au milieu du siècle, le comte se liera d'amitié avec l'époux de la reine Victoria. Plusieurs points communs, notamment concernant leur idéologie politique, les réuniront à plus d'une occasion. Pour leur part, les deux femmes auront de profondes affinités sur le plan personnel. Souvent, le couple comtal se rendra dans la famille royale pour les festivités de Noël. La souveraine deviendra même la marraine du plus jeune enfant d'Alexandra Spencer.

Malheureusement, les deux amies vivront chacune leur tour la perte de leur mari bien-aimé. Dans le deuil, elles s'efforceront de s'apporter réconfort au fil des décennies.

๙

Le lendemain matin, Victoria se rendit – sans son fauteuil roulant – à la chapelle Saint-Georges. Une brume éthérée recouvrait encore le parterre des magnifiques jardins du vaste domaine. Elle pénétra à l'intérieur du lieu de culte faiblement éclairé par une centaine de bougies de couleur ivoire. La vieille dame avança sur ses jambes titubantes en s'appuyant sur une canne en bois robuste. Au fond de la chapelle, un autel en marbre trônait au pied d'un imposant crucifix. Essoufflée en raison de son énorme poids, la reine s'arrêta un moment. Vêtue de sa traditionnelle robe noire, elle leva les yeux vers le symbole religieux accroché au mur.

22

« Pourquoi ? Pourquoi m'avez-vous enlevé le seul être qui m'aimait ? » hurla la femme en furie.

Les mains tremblantes, elle ne pouvait se résigner à accepter la mort d'Albert. Pourtant, près de quarante années s'étaient écoulées depuis le jour où Dieu avait décidé de ramener le prince vers lui. Il ne se passait pas une journée sans que son cœur ne saignât. Le dos légèrement courbé, la souveraine prit place sur un banc en bois, non loin du chœur. Pendant plus d'une heure, les yeux fermés, elle pria en silence. Que pouvait-elle bien demander au Tout-Puissant ? Sa foi en Dieu avait été chancelante à plus d'une reprise.

଄

Au milieu de juillet, alors que le ciel s'abattait sur l'Angleterre, une lettre du continent arriva au château de Windsor. Le valet, chargé du courrier, apporta l'enveloppe beige à sa maîtresse. Assise sur son divan préféré, Victoria lut les premières lignes de la missive. Malgré sa vision réduite, elle pouvait voir distinctement les mots « malade » et « prince Alfred ». Son fils, le quatrième de ses enfants, était atteint du même mal qu'Albert. Le cancer de la typhoïde s'était attaqué au prince. Selon le contenu du message, la santé du duc de Saxe-Cobourg-Gotha était précaire. *Va-t-il se rétablir ou pas ?* songea la mère. Inquiète de la situation alarmante, la reine ordonna au valet d'informer la princesse Beatrice de se présenter sans tarder dans le petit salon. Aussitôt, le domestique partit transmettre la directive à la fille de la souveraine.

D'un pas rapide, la cadette s'en fut allée auprès de sa mère, qui l'attendait impatiemment. Elle s'avança près d'elle et lui demanda la raison de cette agitation soudaine.

« Ma chérie, faites préparer les malles, nous partons pour la Saxe sur-le-champ », s'exclama la femme corpulente.

« Pourquoi ? Que se passe-t-il pour que Madame soit si pressée de partir pour le continent ? » questionna Beatrice, hébétée.

« Votre frère Alfred est aux prises avec une grave maladie. Je dois me rendre auprès de lui… c'est primordial ! » lança-t-elle en guise d'explication.

Incapable d'en dire davantage, Victoria tendit la lettre à la princesse. Cette dernière y déposa les yeux et en lut chacune des phrases. Elle saisissait maintenant l'émoi de sa mère. Après la perte du prince consort, la souveraine ne pouvait concevoir que cette terrible maladie puisse aussi emporter l'un de ses enfants.

« Madame, je comprends votre chagrin et votre inquiétude… Mais votre santé ne vous permet pas de faire un si long trajet. La route et la mer vous tueraient sûrement », lui dit sa fille pour la raisonner.

« Quoi ? Vous voulez que j'abandonne votre frère à son triste sort ? Je suis offusquée par votre attitude

24

insolente », répliqua la souveraine en fixant du regard la princesse.

« Mère, vous êtes injuste avec moi. Je m'inquiète de votre santé fragile, voilà tout », répondit la cadette, le cœur blessé par l'attaque de la vieille femme.

Sourde aux propos de Beatrice, Victoria quitta la pièce à l'aide de sa canne. Elle se dirigea vers ses appartements privés pour rédiger un message à l'épouse de son fils.

Ma chère Maria,

Mon cœur s'est arrêté lorsque j'ai pris connaissance de la tragique nouvelle concernant le prince Alfred. Je ne puis croire que Son Altesse Royale soit atteinte de la même maladie que son pauvre père. Dieu ait son âme ! Soyez assurée que je me précipite de ce pas vers la Saxe pour retrouver mon fils. Gardez espoir car le Seigneur est infiniment bon et prendra soin d'Alfred.

Victoria R

Pendant ce temps, la princesse ordonna aux domestiques de préparer les malles pour le voyage de la reine. Elle n'approuvait nullement l'initiative de sa mère, mais elle ne pouvait pas non plus la contredire. Il fut décidé que la comtesse d'Essex les accompagnerait. Beatrice ne voulait pas assumer seule la responsabilité en cas de problème majeur.

Comme un malheur n'arrive jamais seul, la veille du départ, la souveraine trébucha dans l'escalier principal de la résidence royale. Elle se blessa sérieusement à la cheville droite. Lourdement handicapée, elle dut annuler son voyage vers la Saxe. Elle regretta amèrement sa maladresse, car cet incident l'empêchait de se rendre au chevet de son fils.

La fatalité frappa à nouveau la famille royale le 31 juillet 1900. Après une longue et pénible maladie, la mort enleva le prince Alfred du monde des vivants. Dans la même journée, un télégramme arriva à Londres pour annoncer la funeste nouvelle. Aussitôt, un messager se rendit dans la banlieue de la capitale et prit la route du château de Windsor pour transmettre l'information à la souveraine. Malgré sa longue expérience, l'homme appréhendait la réaction de la reine. Il savait que les épreuves ne l'avaient pas épargnée.

« Madame, un messager sollicite une courte audience. Dois-je lui dire de revenir ? » demanda l'une des dames de compagnie de la Cour royale.

« Non, je vais le rencontrer dans la bibliothèque », répondit la vieille femme, l'air songeur.

Victoria se doutait bien de la nouvelle qu'on venait lui annoncer. Il s'agissait sûrement d'une autre épine à son pied, il ne pouvait en être autrement. Assise dans un fauteuil en tissu, la dame attendait les paroles fatidiques du Londonien.

Comme prévu, l'homme pénétra d'un pas incertain dans la pièce. La nervosité s'était emparée de lui, pourtant costaud. Il s'avança à une courte distance de la reine et il lui fit la révérence comme l'exigeait l'étiquette de la monarchie. Au milieu de l'immense salle richement décorée de tableaux, de statuettes et de meubles, les premiers mots sortirent de sa bouche.

« Votre Majesté, au nom de votre premier ministre et de votre gouvernement, je tiens à vous demander d'accepter mes plus sincères condoléances. Votre fils, Son Altesse Royale le prince Alfred, duc de Saxe-Cobourg-Gotha, vient de rendre l'âme dans son château », dit le messager avec difficulté.

Chaque syllabe que Victoria venait d'entendre résonna dans sa tête. Son enfant était mort et elle ne l'avait pas serré dans ses bras une dernière fois. Certes, il était âgé de cinquante-cinq ans mais, dans son cœur, il était demeuré son petit garçon. Le visage pâle, elle remercia l'individu d'avoir rempli son devoir. D'un geste du bras, elle lui donna congé.

Seule dans la bibliothèque, la reine serra les poings avec une force extrême. Ses ongles s'enfoncèrent dans ses paumes. Quelques gouttelettes de sang coulèrent le long de ses mains. Elle entra dans une colère incontrôlable. De nature réservée, Victoria lança des jurons. Elle maudissait le Tout-Puissant de lui avoir arraché un autre membre de sa famille. Alfred était le troisième enfant qu'elle perdait depuis la disparition de son mari. La mort avait emporté la princesse Alice et le prince Leopold quelques décennies auparavant. Pourquoi le destin s'acharnait-il aussi férocement sur elle ? Pour un parent, rien n'était plus insupportable que d'enterrer sa progéniture. En proie à une détresse sans nom, la reine sentit une douleur lui parcourir la poitrine. Elle manquait d'air et parvenait avec grand-peine à se contrôler. Soudain, elle sombra dans l'inconscience.

Informée de la funeste nouvelle concernant son frère, Beatrice ne put retenir ses larmes. Certes, elle n'avait pas été proche de lui, mais elle lui portait un profond attachement. Il lui manquerait cruellement.

« Mère ! Je dois la réconforter… Elle doit être dévastée », se dit la princesse à voix basse.

Sans attendre un instant de plus, elle fila vers la bibliothèque. En ouvrant les portes de la pièce, elle aperçut sa mère effondrée sur le plancher en marbre gris. La souveraine semblait inerte. Beatrice accourut auprès de la corpulente femme. Elle mit son oreille droite près de la bouche molle de la reine. Soulagée, elle constata que sa mère respirait encore. En gardant son sang-froid, la princesse s'élança dans les couloirs pour chercher de l'aide. En peu de temps, le médecin attitré de la reine fut rejoint par un messager du château de Windsor. En attendant l'arrivée de ce dernier, la cadette et une poignée de domestiques restèrent au chevet du chef de la famille royale. Installée dans son lit par ses domestiques masculins, Victoria n'avait toujours pas retrouvée ses esprits.

Le praticien se présenta à la résidence plus d'une heure après le malaise de la souveraine. Il passa une partie de la journée à ausculter sa patiente avec minutie. L'âge avancé de Victoria n'aidait en rien son état de santé, qui était plutôt fragile. Finalement, après les soins qui lui furent prodigués, la vieille dame rouvrit les yeux. Elle venait de subir une grave attaque au cœur. L'annonce du décès de son fils l'avait ébranlée émotionnellement. Le choc de la perte d'un autre enfant lui avait été brutal et insupportable. Afin de recouvrer ses forces, Victoria passa le reste de la journée à se reposer dans son lit confortable. Elle refusa la présence de quiconque, y compris celle de sa fille cadette. Son orgueil l'empêchait de partager ce pénible moment avec ses proches.

Les funérailles officielles du prince Alfred se déroulèrent quelques jours plus tard. Chef du duché de Saxe-Cobourg-Gotha, il fut enterré au cimetière protestant de Glockenberg. Plusieurs des membres de la famille royale britannique assistèrent aux obsèques du duc. Encore affaiblie par son malaise cardiaque, la souveraine ne fit pas le trajet jusque sur le continent. Elle fut représentée personnellement par la princesse Beatrice. Seule au château de Windsor, la tête couronnée pleura la perte de son fils.

À la fin de l'été 1900, Victoria retourna au palais de Buckingham comme elle avait l'habitude de le faire en cette période de l'année. Depuis son accession au trône royal, elle passait six mois à sa résidence londonienne et les autres mois dans ses différents châteaux disséminés aux quatre coins du royaume. C'était une tradition. Non pas que la souveraine préférait la capitale, mais parce qu'elle devait habiter près du centre de l'action politique. À vrai dire, elle adorait se retrouver à la campagne, loin des soucis, mais les critiques de l'aristocratie l'obligeaient à faire acte de présence dans la capitale.

꧁

Le palais de Buckingham, situé à Londres, servait de siège officiel à la monarchie britannique depuis le couronnement de la reine. De style austère, il renfermait les plus splendides œuvres d'art de la Cour royale. Des centaines de pièces étaient réparties sur les nombreux étages que comptait le bâtiment. Tous les membres de la Maison de Hanovre, dynastie à laquelle était rattachée la puissante femme, séjournaient à la résidence royale lors de leur présence dans la région. Il en était de même pour les hauts nobles de passage dans la capitale. La plupart des enfants de Victoria et d'Albert étaient nés dans la prestigieuse demeure.

Les lieux furent aménagés sur les fondations d'un ancien manoir du Moyen Âge par le duc de

30

Buckingham, riche aristocrate descendant d'une illustre dynastie anglaise. Au fil des années et des multiples monarques qui y ont régné, le palais prit de l'ampleur pour finalement tenir lieu de point d'ancrage à la souveraine dans la plus populeuse ville de Grande-Bretagne. Après son mariage avec Victoria, le prince Albert prendra en main l'aménagement de l'endroit pour le rendre plus confortable.

ℒ

Le 5 septembre, tôt en matinée, la puissante femme reçut la visite de l'archevêque de Cantorbéry. Gouverneur suprême de l'Église anglicane, la reine rencontrait sur une base mensuelle le dirigeant religieux. Autrefois de confession catholique, l'Angleterre avait rompu avec le pape et Rome sous le règne chaotique du roi Henri VIII. Ce dernier, insatisfait des relations qu'il entretenait avec le Vatican, avait exigé les pleins pouvoirs en matière de théologie. Boudé par le Saint-Siège, le monarque avait décidé de fonder sa propre religion chrétienne afin de divorcer plus facilement de sa première épouse, Catherine d'Aragon.

« Votre Majesté, Son Éminence est arrivée ! » annonça la plus timide des dames de compagnie de la souveraine.

« Faites-le entrer ! » s'exclama Victoria en se pinçant les pommettes afin de leur redonner de la rougeur.

Deux gardes vêtus de costumes rouges ouvrirent les imposantes portes de la pièce grandement éclairée. L'homme d'Église pénétra à l'intérieur en boitant de la jambe gauche. Blessé à la suite d'une grave chute à cheval, il était resté avec des séquelles permanentes. Malgré ce handicap, l'archevêque n'en demeurait pas moins une personne énergique. Souvent, il se rendait dans les villages éparpillés du royaume pour remplir ses fonctions ecclésiastiques. Le religieux s'avança jusqu'aux pieds de la reine pour lui faire la révérence. Habillé d'une soutane mauve, il était entièrement dévoué à sa maîtresse. À ses yeux, Victoria incarnait les valeurs saintes de la religion protestante. Elle symbolisait par son comportement les principes véhiculés par les Saintes Écritures. Son amour pour le prince Albert, sa droiture envers ses enfants, sa sagesse dans l'administration de la Grande-Bretagne et sa détermination à garder la couronne sur sa tête faisaient d'elle le modèle parfait de l'Église anglicane.

« Madame, je vous prie d'accepter mes sincères respects », dit d'entrée de jeu Frederick Temple.

D'un geste de la main, la souveraine invita l'homme à prendre place sur un fauteuil rembourré. Puis, elle écouta les paroles de son invité sur la situation qui prévalait au sein de l'Église. À l'affût des moindres informations au sujet de la religion, la vieille femme se faisait un devoir de jouer son rôle hiérarchique.

32

« Monseigneur, lors de notre dernier entretien, je vous ai commandé une étude sur la position du genre féminin dans notre institution. Êtes-vous en mesure de me fournir les résultats ? » demanda la souveraine.

« Selon les données obtenues, les femmes sont de plus en plus présentes dans les activités de l'Église. Elles occupent des fonctions – non ecclésiastiques – dans la majorité de nos paroisses. Je vous dirais même qu'elles sont le pilier de notre religion », ajouta l'archevêque.

« Dois-je comprendre que sans la participation, selon vos dires, très active des femmes l'Église d'Angleterre ne serait pas aussi structurée qu'elle ne l'est en réalité ? » s'exclama Victoria avec stupéfaction.

Frederick Temple déposa ses documents sur ses genoux et regarda la souveraine un bref instant. Il ne saisissait que trop bien la question de sa maîtresse, reconnue pour sa position conservatrice. Lui, fervent défenseur de la modernité, espérait convaincre ses pairs, et en particulier le symbole de l'unité anglicane, en l'occurrence la reine, de donner plus de place au sexe faible. Il n'était pas ouvert au point d'autoriser l'ordination des femmes à la prêtrise, mais pas complètement fermé non plus.

« Madame, l'Église devrait, à mon humble avis, nommer quelques femmes à des fonctions de diacre. Elles pourraient appuyer les prêtres dans leurs responsabilités envers les fidèles », proposa le religieux en essayant de convaincre Victoria de l'utilité d'un tel changement.

« L'idée semble plutôt intéressante… Ne croyez-vous pas, cependant, que cette petite réforme puisse faire naître des envies plus démesurées à la gent féminine, des positions plus radicales ? » questionna Victoria en réfléchissant aux conséquences de l'admission des femmes comme diacres.

L'archevêque de Cantorbéry reconnaissait l'intelligence de la souveraine et savait pertinemment que cette dernière devait être convaincue du bien-fondé d'une chose avant de l'autoriser. Il ne l'avait pas fait changer d'idée, mais espérait réussir cette entreprise à force de discuter de son projet. L'homme d'Église entreprit de revenir à la charge lors de leur prochaine rencontre. En ayant plus d'arguments étoffés, il réussirait à la convaincre, croyait-il.

« Votre Majesté, j'apprécie votre opinion. Vous êtes la reine la plus éclairée de toute l'Europe. Je partagerai vos paroles avec mes confrères des autres diocèses », affirma-t-il avec le sourire.

Victoria et Frederick Temple passèrent un long moment à échanger sur divers sujets concernant l'Église anglicane, notamment les Saintes Écritures, les revenus des paroisses, les fêtes religieuses et la nomination de certains ecclésiastiques à l'intérieur de l'institution chrétienne. La reine prenait très à cœur l'expansion de sa religion dans son royaume, mais aussi ailleurs dans l'Empire britannique.

ℒ

L'automne 1900 débuta plutôt mal pour la plus puissante femme de Grande-Bretagne. Non seulement sa vue diminuait à une rapidité foudroyante, mais de vilaines migraines l'assaillaient quotidiennement. Comme elle était âgée de plus de quatre-vingt ans, son corps était extrêmement fatigué. La reine ne pouvait plus contrôler ses mouvements comme par le passé. Le temps avait fait son œuvre et son physique en était la preuve.

Le soir du 1er octobre, alors que la souveraine sommeillait dans son lit, un messager se rendit au palais de Buckingham. Il devait transmettre une mauvaise nouvelle à la reine. L'individu convainquit la dame de compagnie principale de réveiller sa maîtresse. Un peu confuse, Victoria – aidée de ses servantes – s'habilla en toute hâte.

« Faites venir le messager dans mon petit salon privé », ordonna-t-elle, encore un peu endormie.

De peine et de misère, elle marcha jusqu'à son fauteuil préféré au milieu de la pièce sombre. Seule une poignée de chandelles fut allumée pour éclairer les lieux. L'homme fut finalement autorisé à pénétrer dans le petit salon. Il s'approcha de la reine, lui fit la révérence et commença son message.

« Votre Majesté, j'ai le regret de vous annoncer le décès de Sa Grâce la comtesse d'Essex », dit-il en retenant son souffle.

Victoria ferma les yeux un instant, car elle n'était pas certaine d'avoir bien entendu. Il devait sûrement y avoir une erreur, le matin même son amie lui avait rendu une visite de courtoisie. Elle semblait parfaitement en santé et ne montrait aucune faiblesse. Comment cela pouvait-il être vrai ?

« Mon brave, êtes-vous certain de vos paroles ? » interrogea-t-elle les lèvres tremblantes.

« Ce sont les mots que m'a transmis le secrétaire particulier de Sa Grâce », répondit l'individu.

La souveraine baissa la tête tant la nouvelle la détruisait. Constatant le chagrin de sa maîtresse, la plus jeune des dames de compagnie invita le messager à prendre immédiatement congé. Lorsque l'homme quitta la pièce, la favorite de la souveraine se retira également. Elle savait que Victoria avait besoin de se retrouver seule.

« Pourquoi dois-je perdre tous ceux qui me sont chers avant de mourir ? » hurla le chef de la famille royale.

Elle versa un ruisseau de larmes sur ses joues ridées et laissa échapper de petits gémissements aigus. La mort venait encore frapper un de ses proches. Non, le Tout-Puissant ne semblait pas avoir terminé de la faire pleurer. Les gens qu'elle affectionnait particulièrement disparaissaient les uns après les autres. Son visage rond devint rougeâtre sous le coup de l'émotion. Ses mains avaient de la difficulté à demeurer en place tellement ses nerfs se détraquaient. Alexandra Spencer était sa meilleure amie depuis des décennies. La comtesse comprenait mieux que quiconque les états d'âme de Victoria. Avec la disparition de la noble, la reine perdait sa confidente. La souveraine passa une demi-heure à pleurer la perte de la comtesse d'Essex. Épuisée par ses tressaillements, elle sombra dans un profond sommeil, assise dans son siège rembourré.

Tôt en matinée, Victoria se réveilla en sursaut lorsqu'un pigeon frappa l'un des carreaux de la fenêtre du petit salon. Elle chercha du regard la provenance de ce bruit. Il n'y avait rien autour d'elle qui pouvait lui indiquer la source. La vieille dame se leva doucement et se dirigea vers sa chambre, située non loin de la pièce où elle avait passé la nuit. Alors qu'elle s'apprêtait à franchir la porte menant à ses appartements privés, elle crut voir la silhouette familière d'un homme. Elle s'arrêta pour vérifier si ses yeux ne l'avaient pas trompée. Rien. Personne ne se trouvait dans la pièce. La reine poursuivit son chemin. Soudain, devant elle, le prince Albert se tenait debout. Il portait les vêtements de leur première rencontre, ce fameux jour pluvieux de mars 1839. Cette journée-là, Victoria était tombée follement amoureuse de son cousin. Leur oncle, le roi des Belges, avait décidé qu'il serait profitable pour l'Europe que ces deux jeunes gens s'éprennent l'un de l'autre.

« Albert ! Que faites-vous là ? Vous m'avez fait peur… Je vous croyais parti pour toujours. Tous disaient que vous étiez mort, mais moi je savais qu'ils mentaient. Ne me faites plus jamais un vilain tour de ce genre. Mon cœur ne le supporterait pas », dit la souveraine à l'homme que son imagination lui faisait voir.

Heureuse de retrouver l'amour de sa vie, elle lui fit signe de l'attendre le temps qu'elle se change. D'humeur joyeuse, la souveraine demanda l'aide de ses servantes pour lui faire sa toilette. Non loin de là, sa fille Beatrice assistait à la scène. La princesse s'approcha de la reine pour s'informer de son état. Inquiète de la réaction de sa mère à la suite de la mort de la comtesse, elle voulait s'assurer que tout allait pour le mieux.

« Ma chérie, venez ici ! Allez donc tenir compagnie à votre père. Il sera heureux de vous revoir », lança Victoria en souriant.

Les servantes se regardèrent et comprirent que la démence semblait s'installer chez leur maîtresse. Malgré tout, aucune d'elles n'intervint dans la discussion entre la reine et sa cadette. Pour sa part, Beatrice était bouleversée des paroles qu'elle venait d'entendre. Non, sa mère n'allait pas mieux. La situation devenait de plus en plus dramatique : Victoria n'avait plus toute sa tête.

« Madame, vous faites sûrement une erreur », dit la princesse avec précaution.

« De quoi parlez-vous ? Expliquez-vous, je ne comprends pas le sens de votre phrase », affirma la vieille dame en enfilant une nouvelle robe, de couleur bleue cette fois-ci.

Beatrice s'avança auprès de la souveraine et lui prit la main. Elle avait le cœur déchiré de voir cette femme, pourtant si forte, en pleine démence. Elle lui caressa l'avant-bras pour la réconforter.

« Mère, vous savez bien que le prince Albert nous a quittés il y a des années maintenant », expliqua la princesse d'une voix douce.

« Cessez vos inepties ! Vous n'avez pas honte de dire de tels mensonges à votre âge ? » s'offusqua la reine.

Surprise de la réaction de Victoria, Beatrice lui lâcha la main et recula d'un pas. En d'autres circonstances, elle n'aurait pas réagi ainsi, mais cette fois-ci, comme elle ne reconnaissait pas sa mère, elle s'y voyait contrainte. La reine semblait vraiment persuadée de la présence de son défunt époux. Ce n'était nullement un état éphémère, mais davantage un début de maladie.

« Madame, je crois que vous devriez vous allonger un peu. Vous ne semblez pas... », dit la fille avant d'être interrompue.

« Sottise ! Vous voulez me faire passer pour une folle ! ? Je sais ce que j'ai vu... Votre père est dans l'autre pièce et, si vous ne me croyez pas, vérifiez par vous-même », suggéra l'opulente femme en montrant du doigt le petit salon.

La souveraine agrippa violemment le bras de la princesse et la tira jusqu'à l'endroit indiqué. En entrant dans la pièce, Victoria chercha son mari des yeux mais personne ne s'y trouvait. Troublée de ne pas y voir le prince, elle avança avec confusion au milieu du petit salon.

« Albert ! Albert ! Où êtes-vous ? » s'écria la vieille femme en crise d'hystérie.

La reine était persuadée de l'avoir vu tout juste une dizaine de minutes plus tôt. Elle ne pouvait accepter de le perdre encore une fois. Il s'agissait sûrement d'une plaisanterie de mauvais goût.

« Beatrice ! Pourquoi jouez-vous ainsi avec mes nerfs ? Où se trouve votre père ? » demanda-t-elle en fixant sa fille, un peu déboussolée par la situation.

« Mère, le prince n'est pas ici… Il est auprès de Dieu », expliqua la cadette en pleurant tant la scène lui déchirait le cœur.

Victoria ferma les paupières, versa une larme et tomba à genoux sur le plancher. La veuve saisissait l'ampleur de son problème. Son imagination lui avait fait défaut et elle en souffrait de honte. Il se passait quelque chose d'anormal dans sa tête et elle n'aimait nullement se savoir affaiblie de la sorte.

« Ma fille, que m'arrive-t-il ? » demanda la reine en serrant les poings.

« Ce n'est rien ! Je vais m'occuper de vous...
Soyez sans crainte ! » répondit sa cadette en essayant
de se convaincre elle-même.

La princesse s'approcha tendrement de sa mère et
l'aida à se relever. Humiliée par son comportement
inconvenant, la souveraine exigea que les domestiques quittent les lieux. Elle devait se reposer dans
ses appartements privés afin de se remettre de ses
émotions.

« Ma chérie, j'aimerais demeurer seule », dit la
puissante femme en déposant sa main froide sur le
visage de sa fille.

En silence, la princesse exécuta la demande de
Victoria, un peu embarrassée tout de même de
l'abandonner à son triste sort. Elle craignait que
cette dernière ne fasse une bêtise monumentale.
Depuis la disparition de son père, la cadette s'était
fait un devoir de protéger sa mère. Elle avait consacré toute son existence à seconder la veuve dans sa
vie privée et publique.

« Bien, mère ! Si vous avez besoin de quoi que ce
soit, faites-moi signe », précisa-t-elle en refermant
les portes de la pièce.

Tant d'événements heureux s'étaient déroulés
pendant les années de mariage de Victoria et
Albert. De son vivant, le prince consort fut le plus
fidèle allié de son épouse. Jamais il n'a manqué à
ses fonctions auprès de la Couronne royale britannique. Jusqu'à son décès, il a manifesté un amour

infaillible à la souveraine. Les belles années étaient depuis longtemps terminées au sein de la famille royale, en particulier pour celle qui était assise sur le trône de Grande-Bretagne. Certes, l'Empire était à son apogée sur tous les continents, mais le moral de la dirigeante n'était plus aussi bon.

CHAPITRE II
L'accession au trône royal

Palais de Buckingham, 1837-1838

« VOTRE Altesse Royale, la santé du roi semble très préoccupante ces jours-ci », annonça la baronne Lehzen en pénétrant dans la chambre de la jeune princesse.

Assise sur le bord de son lit, Victoria craignait la situation dans laquelle Guillaume IV s'enfonçait. Âgé de soixante-douze ans, le monarque n'avait plus beaucoup d'années devant lui. Certes, il était robuste – comme les autres membres de la famille royale – mais pas immortel. Avec le temps, son corps s'était terriblement affaibli et l'empêchait d'exercer correctement ses prérogatives royales. Le souverain régnait sur la Grande-Bretagne depuis près de sept ans. Lorsqu'il avait succédé à son frère, le défunt George IV, il était d'un âge plutôt avancé. Tout comme lui, il n'avait aucun descendant légitime pour assurer la continuité du trône. Seule la fille du duc de Kent, frère des deux rois, pouvait hériter de la Couronne britannique. Dès son enfance, Victoria avait apprit très rapidement qu'un destin particulier l'attendait.

44

❧

Le 24 mai 1819, la duchesse Victoria de Kent donna naissance à un nouveau membre de la famille royale. Le jour de son baptême, conformément aux rites religieux de l'Église d'Angleterre, la fillette recevra le même prénom que sa mère. Elle sera élevée au palais de Kensington, non loin de la résidence principale du monarque, et perdra son père, le prince Édouard Auguste, huit mois après sa venue au monde. L'homme trouvera la mort dans la maladie. Il développera une sévère pneumonie qui s'attaquera rapidement à son système immunitaire. Dès lors, Victoria devint l'unique héritière directe et légitime de la Couronne royale. La veuve du duc de Kent prendra jalousement en charge l'éducation de la jeune enfant. Pour l'aider dans sa tâche, elle s'entourera de gens sans scrupules, dont Sir John Conroy. Ce dernier ne souhaitera que gravir les échelons au sein de l'institution qu'incarne la princesse.

❧

« Je m'inquiète pour mon oncle bien-aimé. Croyez-vous qu'une visite de ma part pourrait lui remonter le moral ? » questionna la jeune femme en regardant sa gouvernante.

« Lady, vous savez bien que votre mère n'approuvera pas cette idée », répondit la baronne en souriant du coin des lèvres.

Il était connu de tous que la duchesse de Kent, hautement influencée par Sir Conroy, détestait le roi et la reine. Lors du décès du prince Édouard Auguste, son frère et sa belle-sœur rejetèrent la noble veuve sans vergogne. Ils la savaient contrôlée par un individu de peu de valeur. Des rumeurs de liaison amoureuse entre eux couraient même dans les salons de la capitale. Tous avaient leur opinion sur le populaire sujet. Tous, même l'héritière du trône. Victoria haïssait le secrétaire particulier de sa mère, surtout depuis qu'il s'était mis en tête de l'obliger à le nommer conseiller principal auprès de sa peronne si, au décès du monarque, elle n'avait pas atteint ses dix-huit ans. À vrai dire, un véritable complot se formait entre la duchesse et Sir Conroy. Ils avaient prévu que la noble mère deviendrait la régente de la future souveraine.

« Vous avez entièrement raison… Ma pauvre mère ne pense que selon les directives de cet imbécile d'individu. »

Pourtant, elle aurait apprécié se rendre au palais de Buckingham un court moment, le temps de saluer son oncle. La princesse ne voyait que rarement le frère de son père, sinon que pour des rencontres officielles devant public. Elle aimait tendrement le souverain, car il lui rappelait son défunt père. Non pas qu'elle gardait des souvenirs en mémoire, car la fillette n'avait pas encore un an à sa mort, mais parce qu'elle avait entendu les commentaires de son entourage. Les membres de la famille royale assuraient que Guillaume IV ressemblait à si méprendre au duc de Kent. Selon leurs dires, les deux frères avaient les mêmes yeux verts et la même bouche pulpeuse.

« Si je m'y rendais sans qu'ils ne le sachent... Je pourrais m'absenter sans inquiétude », lança Victoria.

« Comment feriez-vous cela ? » répliqua la gouvernante avec une certaine curiosité.

« Je ne le sais pas encore... Mais, croyez-moi, j'ai une petite idée... », affirma la jeune femme, l'air songeur.

Alors que l'héritière s'apprêtait à dévoiler son plan, la duchesse de Kent pénétra dans les appartements privés de sa fille. Vêtue d'une robe rose aux manches bouffantes, la veuve fit un signe de la main à la baronne. Par ce geste, la gouvernante savait qu'elle devait prendre congé immédiatement. La femme aux cheveux roux se leva sans un mot. Elle sortit précipitamment de la pièce et referma la porte derrière elle. Il était évident que la mère de Victoria était d'humeur massacrante. De toute manière, elle était rarement souriante.

« Ma chère enfant, Sa Majesté ne se porte pas très bien. Je crois qu'il serait temps de régler le problème de la régence. Le royaume se doit d'avoir un monarque à sa tête, surtout dans des moments aussi tristes que le décès de son roi », dit la duchesse en se dirigeant vers sa progéniture.

« Mère, n'avez-vous pas honte ! Mon oncle n'est pas mort et vous préparez déjà votre situation personnelle », hurla la princesse en se levant d'un bond.

« Ma fille, cessez vos cris... Vous allez faire jaser les servantes si vous poursuivez ainsi. »

« De quoi avez-vous peur ? Tous les sujets de l'Empire connaissent vos manigances », dit Victoria en levant les mains en signe de colère.

Surprise de la réaction furibonde de sa fille, la noble quitta les lieux sur-le-champ. La fillette d'hier était devenue une demoiselle dégourdie et souhaitait se faire entendre des vautours. La duchesse, bouleversée par la remarque de Victoria, se dirigea d'un pas accéléré vers le cabinet de Sir Conroy. L'homme était, depuis toujours, l'artisan des malheurs de la princesse. Chaque épreuve qui se présentait sur son chemin était l'œuvre de cet ignoble individu. C'est lui qui tirait les ficelles.

Seule dans sa chambre, Victoria n'en pouvait plus de vivre dans de telles conditions. Sa vie était devenue infernale depuis la dégradation de l'état de santé du souverain. Les paroles du secrétaire particulier de la duchesse de Kent envers elle se durcissaient de jour en jour. Elle craignait même pour sa sécurité personnelle. Par le passé, la princesse avait été témoin d'une altercation entre l'homme et une dame d'honneur de la noble. Cette dernière s'était moquée de lui devant les gens de la Cour royale. D'un geste de la main, il

48

l'avait frappé au visage avec une telle force qu'elle était tombée inconsciente au sol. Sir Conroy fut déclaré coupable par un juge d'un tribunal et dut payer une amende élevée. Malgré cette mésaventure avec la justice, il garda toute la confiance de sa fidèle alliée.

Après le départ précipité de la duchesse, la baronne Lehzen retourna auprès de sa protégée. Lorsqu'elle entra dans les appartements de Victoria, la gouvernante trouva la jeune femme en larmes, emmitouflée sous ses couvertures. Le cœur brisé par cette scène, elle se dirigea vers le lit et caressa la longue chevelure brun foncé de l'héritière.

« Chère princesse, ne pleurez pas ainsi… Un jour, vous n'aurez plus à vous soucier de leur méchanceté », dit-elle d'une voix apaisante.

Victoria, un peu rassurée par les paroles de sa confidente, sortit son visage de sous les couvertures. Elle regarda attentivement la baronne, lui fit un sourire rassurant et assécha l'eau sur ses joues roses.

« Vous avez raison ! Je serai reine et je prendrai moi-même mes décisions quant à mon avenir », laissa échapper la jeune femme.

La présence de Louise Lehzen était essentielle dans la vie de la princesse royale. Sans elle, Victoria était à la merci de Sir Conroy et de ses plans machiavéliques. La gouvernante était la principale, sinon l'unique, amie et confidente de la future reine. À plusieurs moments, elle s'était interposée entre les vautours et sa jeune protégée.

∅

Née en 1784, à Cobourg, Louise Lehzen était la fille d'un pauvre pasteur protestant. Très tôt, elle dut subvenir aux besoins de ses nombreux frères et sœurs. Sa mère, une artiste déchue, avait perdu la vie à la naissance de son dernier enfant. Étant l'aînée de la famille, Louise dénicha un travail auprès d'une noble germanique devenue lors de son second mariage la duchesse de Kent. On lui confia l'éducation de la princesse Feodora de Leiningen, demi-sœur de la future reine de Grande-Bretagne. Par la suite, le couple ducal décida de la mandater auprès de la jeune Victoria. Dès lors, Louise Lehzen se consacrera entièrement à sa protégée. Les mauvaises langues disaient qu'elle voulait prendre la place de la mère dans le cœur de l'héritière. À vrai dire, l'attitude irresponsable de la veuve suffisait pour qu'elle se fasse détester par sa fille. Afin de remercier la gouvernante pour ses services envers la Couronne royale, Guillaume IV l'élèvera au rang de baronne de Hanovre, titre honorifique mais non transmissible à ses descendants.

∅

Les jours passèrent et la santé du roi ne s'améliorait guère, au grand bonheur de Sir Conroy. Il devenait plus qu'urgent de faire signer les papiers le désignant conseiller principal de la future souveraine. À plusieurs reprises, il essaya de forcer Victoria à satisfaire ses attentes. Entêtée, elle refusa d'exécuter les ordres de l'impitoyable individu. Toutes les manœuvres douteuses n'affaiblissaient en rien la détermination de l'héritière.

« Duchesse, vous devez convaincre votre fille d'apposer sa signature au bas du document », s'écria le secrétaire particulier en pénétrant dans le salon de la noble.

« Calmez-vous, mon cher ami ! J'essaie, croyez-moi, mais je ne peux tout de même pas la contraindre à le faire », répliqua la femme en se poudrant le nez.

« Si, justement ! Vous lui verserez un calmant dans son thé de l'après-midi. Elle sera plus malléable ainsi et nous pourrons en profiter pour réaliser notre dessein », s'exclama le sinistre homme en souriant à pleines dents.

La duchesse de Kent n'était pas certaine de vouloir s'aventurer dans une affaire aussi dangereuse. Non pas qu'elle se souciât du bien-être de sa progéniture, mais bien parce qu'elle craignait de se faire accuser d'un tel geste. Si cela devait arriver, comment pourrait-elle se sortir de ce pétrin ? Elle réfléchit un bref instant avant de donner sa réponse.

« Pourquoi pas ! Si nous sommes vigilants, personne ne sera témoin de notre action », affirma-t-elle d'un air songeur.

« Parfait ! Je vais me procurer le liquide en question dès demain, à l'aube. Vous en verserez quelques gouttes dans sa tasse. Assurez-vous de ne pas être vue par quiconque, surtout pas par la baronne », expliqua Sir Conroy en jouant dans les cheveux de sa complice.

Comme prévu, l'individu se rendit le lendemain au cœur de la capitale pour acheter le médicament. Il n'avait besoin que d'une infime dose pour réussir à manipuler la princesse. De petite taille, Victoria n'avait qu'à boire un peu de cette potion à base de plantes pour perdre ses capacités intellectuelles. Dès qu'il eut le flacon en sa possession, il retourna au palais de Kensington pour mettre en œuvre son plan.

« Voici le liquide. Faites comme nous l'avons décidé hier soir », ordonna le conseiller d'un ton coupant, en glissant l'objet dans le creux de la main de la mère de la princesse.

La duchesse attendit en après-midi pour se rendre aux cuisines de la résidence princière. Sur place, elle balaya les quatre coins du regard pour s'assurer de ne pas être prise sur le fait. Non, personne ! Elle prit la théière de porcelaine blanche, sortit le médicament et dévissa le petit bouchon. La veuve versa quelques larmes du précieux liquide et mélangea le tout à l'aide d'une cuillère.

« Pardonnez-moi, ma chère enfant, mais je fais cela pour notre bien à tous », murmura-t-elle en quittant la pièce.

52

Une demi-heure plus tard, la baronne descendit aux cuisines pour ramasser le plateau d'argent. Elle y déposa la délicate théière, deux tasses bleues, deux soucoupes de la même couleur et une poignée de craquelins à l'avoine. Puis elle prit la direction du salon de sa protégée.

« Voilà, ma chère princesse », annonça la gouvernante en entrant dans la pièce avec le service de thé.

Elle déposa le tout sur un guéridon en bois et versa le liquide chaud dans les tasses en porcelaine. Louise Lehzen s'approcha de Victoria et lui tendit une tasse de thé.

« Désirez-vous un petit goûter ? » demanda la baronne en prenant sa part de collation.

« Non, merci ! Je crois que j'ai exagéré à l'heure du repas », répondit l'autre en soufflant sur le liquide bouillant.

Assise dans un fauteuil, l'héritière approcha sa tasse de ses lèvres charnues. Elle fit couler un ruisseau de thé à l'intérieur de sa bouche, lequel descendit jusque dans sa gorge. Le goût – à saveur prononcée – lui plaisait. Elle raffolait de cette boisson traditionnelle que les marchands de l'Empire se procuraient dans les colonies.

« M'aiderez-vous à organiser ma fuite d'ici ? » questionna la princesse en déposant sa tasse dans la soucoupe.

« Votre Altesse Royale, vous me demandez de mettre votre sécurité en danger. Je comprends vos appréhensions face à Sir John Conroy et je les partage entièrement... Mais pensez-vous que s'enfuir soit la solution idéale ? » déclara la gouvernante en essayant de faire passer son message.

Offusquée par ce refus, Victoria se leva d'un bond. Soudain, elle ressentit une fatigue anormale s'emparer de son corps. La jeune femme avait de la difficulté à se tenir debout.

« Baronne, la tête me tourne... »

La princesse s'effondra sur le plancher comme une poupée de chiffon. Louise Lehzen accourut auprès de sa protégée. Elle se jeta à ses pieds et, les mains tremblantes, essaya de la ranimer. Mais en vain. Victoria ne réagissait nullement aux gestes de la gouvernante.

« Princesse, je vous en prie... Réveillez-vous ! » s'écria-t-elle, bouleversée devant le corps inerte de la future souveraine.

Les cris de détresse de la baronne alertèrent les servantes qui travaillaient à l'étage. Elles se lancèrent dans les appartements privés de la princesse, le bas de leur robe entre les mains. Les premières arrivées sur les lieux demeurèrent sans mot devant la tragique scène. Les autres se précipitèrent dans les couloirs de la résidence royale en criant à l'aide. Intrigué par toute cette agitation, Sir Conroy marcha en direction du salon de l'héritière. Aussitôt qu'il en eut franchi les portes en bois sculptées, il constata que son plan avait fonctionné. *Je ne dois pas montrer ma satisfaction*, songea-t-il afin de ne pas semer le doute dans l'esprit des autres, en particulier dans celui de la baronne.

« Que se passe-t-il à la fin ? » s'exclama-t-il en s'approchant du corps de Victoria.

« La princesse s'est levée et est tombée sur le plancher sans aucune raison », expliqua avec nervosité la gouvernante encore accroupie près de sa protégée.

« On ne se retrouve pas dans cette position par pur hasard », lança l'homme en jouant la comédie.

« Que voulez-vous insinuer, Sir Conroy ? »

« Baronne, vous savez parfaitement ce que je veux dire », rétorqua l'autre sans broncher.

« Je refuse d'entendre de telles accusations. Le bien-être de Son Altesse Royale est la seule chose qui me tienne vraiment à cœur », répliqua la femme au bord des larmes.

« Dans ce cas, pourquoi n'avez-vous pas empêché ce drame ? » ajouta le secrétaire particulier de la duchesse de Kent.

Incapable de répondre au fidèle allié de la noble, Louise Lehzen ferma les yeux un bref instant. *Il n'a pas tort, car si j'avais été plus vigilante, l'héritière ne se serait pas retrouvée dans un tel état*, pensa-t-elle.

Tout était de sa faute, son manque de rigueur à la tâche était la cause du malaise subit de la future reine de Grande-Bretagne. Humiliée par sa négligence, elle sortit des appartements privés et se précipita vers les siens, au dernier étage.

Pendant ce temps, deux domestiques masculins transportèrent la princesse dans son lit. Les servantes fermèrent les somptueux rideaux rouges de la pièce afin d'adoucir les lieux. Avertie par une dame d'honneur, la duchesse se hâta de rejoindre Sir Conroy dans le salon de sa fille. Le remords venait de s'emparer d'elle et elle avait besoin de se faire rassurer par l'instigateur de toute cette mascarade.

« Mon cher, qu'avons-nous fait ? » déclara la femme en entrant dans la pièce mal éclairée.

« Cessez ce vacarme ! Vous allez attirer l'attention sur vous », dit-il en se dirigeant vers sa complice.

Il lui serra fortement le poignet et regarda autour d'eux si quelqu'un n'avait pas été témoin de la scène. La veuve fut prise d'une grande frayeur tant la violence du geste l'avait étonnée. Elle savait l'homme brusque dans sa manière d'être, mais n'aurait jamais pensé qu'il agirait ainsi avec elle.

« Lâchez-moi, vous me faites mal ! » dit-elle à voix basse.

Il retira sa main du frêle poignet de la duchesse et lui caressa le visage de ses mains rudes et froides.

« Ma douce, vous savez bien que je fais tout cela pour notre avenir. Je me soucie continuellement de votre statut social », affirma l'individu d'un ton manipulateur.

Malheureusement, la noble était ensorcelée par son secrétaire particulier et buvait chacune de ses paroles comme si elles avaient été prononcées par le Tout-Puissant. Certains disaient même que la mère de Victoria était follement amoureuse de lui. En vérité, ce n'était que des ragots de salons d'aristocrates. Il est vrai qu'elle s'était beaucoup investie dans cette amitié avec cet homme, mais leurs sentiments n'avaient jamais atteint ce degré d'intensité.

♌

Marié à Elizabeth Fisher, fille d'un haut gradé de l'Armée royale, John Conroy naquit en 1786. Il était le fils d'immigrants irlandais ayant trouvé refuge en sol gallois. Après avoir fait des études difficiles – il n'était pas doué pour l'apprentissage académique – à l'Académie royale militaire de Woolwich, l'homme participera à une guerre en Europe. De retour en Grande-Bretagne, et grâce au précieux appui de son beau-père, il deviendra officier dans les rangs de la garde personnelle du souverain. Apprécié pour ses loyaux services, il sera mandaté par la Cour royale pour assurer la sécurité du duc et de la duchesse de Kent. L'individu déjouera même une tentative d'assassinat contre le

prince Édouard Auguste. En guise de remercie-
ment, le monarque lui attribuera le titre de Sir.

En 1820, lors du décès du père de Victoria, John
Conroy prendra le contrôle des affaires du palais de
Kensington, résidence de la jeune princesse et de sa
mère. À partir de ce jour, il régnera sur les faits et
gestes de quiconque vivant ou travaillant au
domaine princier. Tous, sauf la future reine,
craignaient les conséquences d'une désobéissance
au secrétaire particulier de la duchesse de Kent.

☙

Constatant que Victoria était seule dans sa
chambre, Sir Conroy se dirigea vers le lit. Il était suivi
de près par sa complice. Celle-ci referma sans faire de
bruit la porte entre la chambre et le salon. L'homme
s'approcha de la jeune femme endormie et sortit de
la poche intérieure de son uniforme un document. Il
fit signe de la tête à la noble de s'avancer.

« Duchesse, prenez la plume et l'encrier sur le
secrétaire là-bas », ordonna-t-il.

D'un geste machinal, la noble exécuta la directive
de son fidèle allié. Puis elle s'approcha du lit où
dormait l'héritière. Elle avait de la difficulté à respirer tant l'angoisse la tenaillait.

« Réveillez-la immédiatement avant que les autres
ne reviennent avec le médecin », lança Sir Conroy
en déroulant le papier qu'il tenait dans ses mains.

58

Les deux complices devaient agir vite, car l'état inattendu de la princesse avait alarmé tout le palais de Kensington. Un messager avait été mandaté pour avertir l'épouse du roi, et un autre pour réclamer les soins d'un praticien. Sans perdre un instant, les conspirateurs devaient faire signer le fameux document.

« Victoria, ma chérie, c'est votre mère. Réveillez-vous, ma douce enfant », chuchota la duchesse en glissant sa main sur la joue de sa fille.

Confuse, la jeune femme ouvrit difficilement les paupières. Elle aperçut le visage flou de sa mère.

« Mère, que se passe-t-il ? » dit-elle en bredouillant.

« Ce n'est rien… Ma princesse, vous seriez très aimable envers moi si vous signiez ce bout de papier », s'exclama la veuve en pointant de la main la pièce en question.

Incertaine, l'héritière essaya vainement de remettre ses idées en place. Elle n'y arrivait pas, le médicament versé dans son thé l'amortissait profondément.

« Pourquoi ? » dit-elle avec grand-peine.

« Signez, ma chérie ! » répondit le secrétaire d'un ton plus ferme.

Alors que la princesse, épuisée par ses efforts à combattre les effets du calmant, s'apprêtait à déposer sa signature au bas du texte, la baronne

Lehzen pénétra dans la chambre. Surprise de la manigance des deux requins, elle se lança vers le lit de sa protégée.

« Victoria, ne faites rien ! Il s'agit de l'autorisation sur la régence ! » déclara-t-elle en hurlant.

Malgré son état d'engourdissement, l'héritière avait pleinement confiance en sa gouvernante. Elle jeta la plume sur la couverture d'un geste maladroit. L'encre noire s'écoula sur le tissu pâle.

« Sortez ! » s'écria la baronne en fixant du regard la mère et le manipulateur.

Craignant d'être démasqué par les autres, Sir Conroy prit la fuite en direction de ses appartements. Pour sa part, la veuve éclata en sanglots tant elle était stupéfiée d'avoir été prise sur le fait. Debout à côté du lit, la duchesse de Kent gémissait de honte.

« Madame, jamais je n'aurais pensé de toute ma vie que vous puissiez descendre aussi bas pour plaire à votre secrétaire particulier », avoua la femme en hochant la tête.

Au bout d'un moment, le médecin et une dizaine de servantes se présentèrent au chevet de la nièce du monarque. L'homme de science prodigua ses meilleurs soins à la jeune princesse. Après lui avoir injecté un remède, il donna ses directives aux domestiques.

« Vous devez réveiller Son Altesse Royale à chaque heure. Vous m'avez bien entendu ? » s'enquit-il en remettant la seringue dans son étui.

Lorsque tous furent rassurés sur l'état de santé de Victoria, ils quittèrent la pièce sur la pointe des pieds. La future souveraine s'était rendormie et sa situation revint à la normale. La baronne fut la dernière à sortir des appartements privés de sa protégée. Plus que jamais, elle saisissait le danger qui menaçait la jeune femme.

La gouvernante se rendit dans une petite chapelle protestante située non loin de la résidence princière. Sous une pluie diluvienne, elle pénétra à l'intérieur du bâtiment religieux. Ses cheveux roux, habituellement bouclés, étaient alourdis par les milliers de gouttelettes tombées du ciel gris. Trempée de la tête aux pieds, elle voulait se recueillir et prier le Seigneur. Elle avança jusqu'au chœur et se mit à genoux sur le sol dallé.

« Dieu, je fais appel à votre infinie bonté pour que vous veilliez sur la jeune princesse. Je vous implore de préserver notre roi jusqu'à la majorité de Son Altesse Royale. »

Ayant échappé de justesse aux manigances de Sir John Conroy et de la duchesse de Kent, Victoria n'était pas à l'abri d'un autre coup de leur part. Tant qu'elle n'avait pas atteint l'âge de dix-huit ans, elle risquait de subir la régence en cas de décès de Guillaume IV. Il ne restait plus que six mois avant son anniversaire.

Seule témoin de la manœuvre des deux vautours, la baronne ne pouvait pas dénoncer leur geste. Il s'agissait de sa parole, celle d'une femme dépourvue de sang royal, contre celle de la mère de la victime. Non, elle décida de demeurer silencieuse sur le sujet, mais se jura de protéger Victoria contre ses ennemis. Elle ne pouvait en aucun cas compter sur l'aide de la future reine qui, amortie par le tranquillisant, ne se souvenait de rien.

Les mois suivants, la santé du monarque se stabilisa et lui permit de réapparaître en public. Il avait perdu beaucoup de poids et ne restait que très peu de temps debout. Ses jambes souffraient d'arthrite et son dos lui faisait atrocement mal. Malgré tout, le souverain exigea un entretien en privé avec sa nièce. Cette initiative déplut au plus haut point à Sir Conroy. Il essaya d'intervenir dans la démarche, mais ne réussit pas à s'imposer.

La rencontre se déroula le 15 mars 1837, tôt le matin, dans le salon rouge du palais de Buckingham. Pour l'occasion, Victoria porta sa robe préférée ainsi qu'un collier de perles que lui avait offert son autre oncle, le roi des Belges. Elle était resplendissante dans sa toilette de couleur jaune pâle.

« Venez, ma chère enfant. Un vieux fou comme moi ne peut qu'être choyé d'avoir une si jolie héritière », dit le monarque en invitant Victoria à prendre place auprès de lui.

« Votre Majesté, vous me faites rougir », répliqua gentiment la princesse en s'assoyant sur un long divan.

Seuls dans l'immense pièce aux nombreux tableaux multicolores, les deux membres de la Maison de Hanovre discutaient des affaires du royaume. Rares furent les moments où l'oncle et la nièce avaient échangé loin des regards curieux et des mauvaises langues de la Cour royale.

« Vous avez les mêmes traits faciaux que votre défunt père », s'exclama le vieillard en fixant Victoria.

« Parlez-moi de lui… je vous en prie ! Mère évite le sujet dès que je la questionne sur le duc », supplia la jeune femme en souriant au puissant homme.

« Mon frère était le plus illustre prince de la dynastie. Tous reconnaissaient son jugement raffiné et sa loyauté envers la Grande-Bretagne. Vous savez, même si vous n'étiez qu'un bébé à sa mort, il vous a aimée dès que ses yeux se sont posés sur vous. Vous étiez sa plus grande fierté. Il n'en avait que pour sa petite fille adorée », dit Guillaume IV en dissimulant ses émotions.

Hypnotisée par les paroles du souverain, Victoria écoutait chaque mot qu'il prononçait. On lui racontait rarement des faits en lien avec la vie de son père, encore moins la concernant. La loi du silence planait sur le palais de Kensington et personne n'osait se mettre à dos les dirigeants de la résidence princière.

« Vous êtes mon rayon de soleil. Mon cœur est triste de vous savoir entre les griffes maléfiques de ce bandit de Conroy », lança l'homme en hochant la tête.

« Ne vous en faites pas, mon cher oncle, je suis plus rusée que cet individu », répondit-elle pour le rassurer.

« Vous savez, d'ici quelques semaines, vous aurez dix-huit ans. Je pourrai alors quitter ce monde en sachant que le secrétaire particulier de votre mère ne pourra usurper la régence. Il s'agit de mon souhait le plus cher », avoua Guillaume IV.

« Ne dites pas de tels propos... Votre Majesté sera sur le trône encore pour bien des années. »

« Soyez sérieuse, Victoria, je ne suis plus en aussi bonne santé qu'auparavant. D'un moment à l'autre, mon corps pourrait se fatiguer durement », précisa-t-il en se frottant le menton.

Trois quarts d'heure plus tard, la princesse retourna vers sa prison dorée. Elle n'eut pas le temps d'en franchir le portail que la duchesse se précipita à sa rencontre.

« Ma chérie, comment s'est passé votre entretien avec le roi ? » demanda-t-elle d'un ton curieux.

« Très bien ! Sa Majesté vous transmet ses salutations les plus cordiales », se contenta de dire la jeune femme en poursuivant sa route vers les cuisines. L'héritière n'avait nullement l'intention de dévoiler le contenu de sa conversation avec le souverain. Chaque renseignement, même le plus insignifiant, devenait une arme au profit de Sir Conroy. Victoria était bien décidée à garder secrets les échanges avec son oncle. Moins sa mère en savait, plus elle-même était en sécurité.

Le grand jour arriva finalement, le 24 mai 1837, date de l'anniversaire de la princesse. Elle fêtait ses dix-huit ans, mais surtout écartait de la main la régence qui planait sur elle depuis la mort de son père. La jeune femme se sentait habitée par une délivrance. Si le monarque venait à trépasser, elle n'aurait en aucun cas l'obligation de s'associer au secrétaire de sa mère. Pour célébrer le grand événement, la baronne organisa une petite réception dans la salle de bal du palais. Quelques nobles des environs furent invités à participer à la soirée en l'honneur de Victoria. À la demande de la principale intéressée, Sir John Conroy ne fut pas convié.

« Ma bonne amie, vous m'avez fait une surprise des plus agréables. Comment vous remercier pour votre attention envers moi ? » dit Victoria dans le creux de l'oreille de sa gouvernante pendant que les convives s'amusaient follement.

« Soyez une grande reine et vous ferez de votre fidèle confidente la plus choyée des sujets de Sa Majesté », répondit-elle en lui souriant tendrement.

Soudain, le secrétaire particulier de la duchesse de Kent fit son apparition. Il rejoignit sa complice dans un coin de l'imposante pièce peinte en beige. Il venait d'outrepasser la directive le concernant. Offusquée de sa présence, l'héritière se dirigea vers les deux requins. D'un bond, elle traversa la salle de bal. Sa robe encombrante ne semblait pas gêner ses moindres mouvements.

« Vous ! » lança-t-elle d'un ton violent.

La princesse montra du doigt l'individu devant tous les invités de la réception. Elle n'était pas d'humeur à tolérer cette présence parmi ses amis. Sa majorité lui donnait une force et un courage qu'elle n'avait pas auparavant.

« Ma chérie, cessez vos enfantillages. Les autres nous regardent », dit à voix basse la duchesse.

« Mère, je n'ai que faire de vos commentaires. Depuis trop longtemps vous jouez le jeu de votre allié. Aujourd'hui, je vous demande de l'expulser. Je ne veux aucunement voir Sir Conroy ici », s'exclama Victoria en fixant durement sa mère.

« Si Sa Grâce Royale est conviée à cette fête, je le suis également », dit l'homme au crâne dégarni en guise d'introduction.

« Madame, quelle est votre opinion sur cette affirmation ? » demanda la jeune femme à sa mère.

« Ma fille, quel mal peut-il y avoir à ce que Sir Conroy soit parmi nous ? »

« Bien ! Dans ce cas, je vous ordonne à tous les deux de quitter immédiatement la salle de bal. Vous n'y êtes pas désirés », déclara l'héritière d'un ton solennel.

« Victoria, vous n'êtes pas sérieuse. Je suis votre mère… », répondit la duchesse, humiliée de se faire chasser ainsi par sa progéniture.

« Vous avez fait votre choix ! » lança Victoria un peu ébranlée d'agir de la sorte.

« Vous ne pouvez ordonner une telle directive », fulmina le sinistre individu.

« Vous croyez ? Ne savez-vous pas que vous êtes les invités du roi en vivant dans ce palais ? Comme je suis l'héritière légitime de Sa Majesté, vous êtes donc *mes* invités », précisa la princesse, rouge de colère.

Dans les faits, elle avait entièrement raison. Le palais de Kensington était une propriété de la Couronne royale, donc de Guillaume IV. Seule successeure au trône de Grande-Bretagne, Victoria était en réalité la plus importante dame de la famille royale après l'épouse du souverain. Elle pouvait donc en toute légalité renvoyer qui que ce soit, y compris la duchesse de Kent.

Sans en ajouter davantage, les deux vautours quittèrent la pièce d'un pas accéléré. Sous le regard de l'assistance, la mère éclata en sanglots tant l'humiliation était grande. Malgré tout, ces larmes ne firent pas réagir la princesse. Celle-ci n'avait pas oublié toutes les manigances de cette femme, encore moins le contrôle qu'exerçait sur elle son secrétaire particulier.

⚘

Victoria de Saxe-Cobourg-Saalfeld, mère de l'héritière du trône britannique, naquit en 1786. Ses parents, le duc François et la duchesse Augusta, l'avaient obligée très tôt à se marier avec un noble germanique. En 1803, à l'âge de dix-sept ans, elle épousera le prince Emich-Karl de Leiningen. Deux enfants naîtront de cette union plutôt malheureuse : Karl-Emich (1804) et Feodora (1807). Son mari trouvera accidentellement la mort lors d'une partie de chasse dans les bois du domaine familial. À vingt-huit ans, elle deviendra veuve et héritera de son défunt époux d'une dette colossale. Sur les conseils de son frère préféré, elle décida de se marier une seconde fois. Elle s'unira à l'un des fils du monarque de Grande-Bretagne et deviendra la duchesse de Kent. La mort s'acharnera à nouveau sur elle à l'hiver 1820 en emportant le père de la petite princesse, née quelques mois auparavant.

⚘

Quelques semaines passèrent et l'été s'installa de manière définitive sur le royaume. Les journées devinrent plus chaudes et la lumière du soleil durait plus longtemps. Cette saison – trop courte – était la préférée de Victoria. Elle en profitait pour se promener quotidiennement dans les divers jardins du domaine. Même si le palais de Kensington était situé à Londres, des espaces verts l'entouraient çà et là.

68

La princesse avait l'impression de se retrouver au milieu de la campagne anglaise. Avec sa gouvernante, elle passait d'interminables journées loin des deux vautours.

« Baronne, pourquoi n'avez-vous jamais épousé un gentilhomme ? » demanda la jeune femme en ramassant une rose rouge qui se dressait sur son parcours.

« Lady, j'ai décidé très tôt de consacrer ma vie à vous servir. Votre présence me comble amplement », précisa l'autre en tenant un panier en osier rempli de fleurs de multiples couleurs.

« Moi, j'espère ne pas me marier... Je ne veux être la femme d'aucun homme », lança la future souveraine en accrochant la rose fraîchement cueillie dans ses cheveux.

« Un jour, vous devrez trouver un noble qui vous secondera dans vos fonctions officielles », dit la confidente en suivant sa protégée dans les sentiers du domaine princier.

« Vous croyez ? Qui m'obligera à le faire ? Je serai la reine de Grande-Bretagne. »

« Princesse, avec qui fonderez-vous une famille ? Qui vous succédera sur le trône de saint Édouard le Confesseur ? »

Victoria n'avait pas songé à ces détails durant ses courtes réflexions sur le sujet. Victime du contrôle incessant du secrétaire particulier de sa mère, elle ne voulait nullement se retrouver dans une situation où elle serait encore dominée par le sexe masculin.

« Votre Altesse Royale ! » s'écria une dame d'honneur de la duchesse de Kent en courant sur le sable.

« Que se passe-t-il encore ? Ne puis-je avoir un peu de sérénité en ces lieux ? »

Essoufflée, la femme aux cheveux blonds se rendit jusqu'à la princesse. Elle avait franchi les nombreuses portes du palais pour faire part de sa nouvelle à l'héritière du trône.

« Madame, le secrétaire du Grand Sceau vous attend dans votre petit salon », dit-elle, haletante.

Victoria connaissait la raison de la présence de l'homme au palais de Kensington. Elle en redoutait même le jour depuis longtemps. Pourtant, on l'avait bien préparée à assumer adéquatement son destin. Malgré tout, elle se sentait incapable d'entendre les paroles que l'individu allait prononcer. Constatant le désarroi de sa protégée, la baronne entreprit de la réconforter.

« Princesse, Dieu vous a choisie pour occuper le premier rang du royaume. Croyez-moi, vous remplirez votre mission aussi bien que n'importe quelle dignité de sang royal. »

La jeune femme leva dignement la tête et précéda le pas aux deux dames. Elle se dirigea vers la pièce où l'attendait son visiteur. Devant les portes closes du petit salon, elle ferma les paupières et supplia le

70

Tout-Puissant de lui donner la force de poursuivre sa route. De la tête, elle fit signe aux deux gardes costauds d'ouvrir, puis elle pénétra à l'intérieur dans une démarche élégante.

« Monsieur le secrétaire, que me vaut la raison de cette visite en cette journée aussi resplendissante ? » demanda-t-elle d'entrée de jeu.

« Madame, je suis ici pour vous informer que Sa Majesté le roi Guillaume IV a rendu l'âme ce matin vers cinq heures », déclara l'homme aux lunettes.

Même si elle s'attendait à cette triste nouvelle, Victoria ne pouvait cacher son chagrin. Elle avait un profond respect pour cet oncle que sa mère et Sir Conroy lui avaient empêchée de voir. Le roi s'était toujours soucié du sort de sa nièce et avait souvent demandé au Seigneur de l'épargner jusqu'à sa majorité. Près d'un mois après avoir eu ses dix-huit ans, l'héritière devenait la plus puissante femme du royaume et de l'Empire.

« Le monarque est mort. Vive la reine ! » s'écria le messager en faisant une sincère révérence.

Debout près d'une table en bois sculpté, la nouvelle souveraine tremblait tant l'émotion l'étreignait. Elle était si jeune et sans expérience, comment pourrait-elle régner sur la Grande-Bretagne ? Elle n'avait pas le privilège de se dérober à sa destinée.

« Lord Harold, je vous demande de réunir dans les plus brefs délais mon conseil privé au palais de Buckingham », fut sa première directive comme chef de la nation.

Aussitôt, le secrétaire du Grand Sceau lui fit une dernière révérence et quitta la résidence de la souveraine. Comme l'exigeait le protocole, il se rendit auprès du premier ministre pour l'informer de la décision de leur maîtresse.

« Ma chérie ! » s'exclama la duchesse de Kent en entrant en coup de vent dans la pièce.

La mère de Victoria venait de croiser l'homme aux lunettes et reçut la nouvelle comme un véritable cadeau du ciel. Elle attendait ce moment depuis tellement d'années. Le fruit de son acharnement se présentait enfin à elle. La noble jubilait déjà à l'idée de contrôler sa fille, la nouvelle reine du pays.

« Mon enfant, quelle extraordinaire journée », lança-t-elle en s'approchant de sa progéniture encore abasourdie par la situation.

« Mère, je vous prie de vous retenir. Mon oncle est décédé et vous ne pensez qu'à votre plaisir personnel ? »

« Que me dites-vous là ? Ma fille bien-aimée accède au trône de ses ancêtres, pourquoi devrais-je me sentir attristée ? » ajouta la duchesse en souriant.

« Vous me faites honte ! Vous souriez comme un chien devant un os », répliqua la jeune femme en grimaçant.

Entre-temps, la baronne Lehzen rejoignit sa maîtresse dans ses appartements privés. En pénétrant dans la pièce elle sentit l'atmosphère lourde qui y régnait. La gouvernante avança de quelques pas et fit une sincère révérence à sa nouvelle souveraine.

« Votre Majesté ! » s'exclama-t-elle en se courbant.

« Mère, je vous prie de nous laisser... Ma secrétaire particulière et moi devons discuter de sujets primordiaux », dit Victoria en faisant un clin d'œil à sa confidente.

« Quoi ? Vous nommez cette femme à cette fonction ! Mais... », s'écria la duchesse en furie.

« Dois-je vous demander la permission ? » répliqua la souveraine sans broncher.

« Oui ! Sir Conroy et moi devons approuver vos décisions. »

Victoria éclata d'un rire cynique tant cette phrase la choqua au plus profond d'elle-même. La duchesse de Kent, après avoir fait subir toutes ces années de misère à sa fille, croyait sérieusement qu'elle pourrait continuer son petit jeu, maintenant que cette dernière était devenue reine.

« Madame, vous êtes loin de la vérité », lança Victoria en fixant la noble d'un regard menaçant.

Témoin de la scène, Louise Lehzen était fière de voir sa protégée prendre le taureau par les cornes. Maintenant que la jeune femme occupait la plus haute fonction de l'Empire, elle n'avait nullement l'intention de s'entourer des deux complices.

« Duchesse, sachez que j'emménagerai au palais de Buckingham aussitôt que possible. Vous ne me suivrez pas et ne ferez en aucune circonstance partie de la Cour royale. Je vous bannis de ma vie et de mon avenir », précisa Victoria en pesant chacun de ses mots afin d'être bien comprise de sa mère.

La noble s'écroula tant le choc fut brutal. Sa progéniture la rejetait. Elle ne pouvait en saisir la raison. Aveuglée par l'emprise de Sir Conroy, la duchesse ne voyait aucunement en quoi elle avait mérité ce châtiment. Malgré cette décision difficile, Victoria souffrait de voir sa mère dans un état pareil. Elle l'aimait et aurait voulu être en harmonie avec elle, mais son devoir royal ne lui permettait pas une faiblesse émotionnelle.

Deux jours plus tard, la reine, sa gouvernante et une vingtaine de domestiques s'installèrent au palais de Buckingham. Par ce déménagement, Victoria laissait derrière elle son passé malheureux, c'est-à-dire sa mère et Sir Conroy. Le lourd « système Kensington » l'avait privée de sa jeunesse. Aujourd'hui, la souveraine prenait sa vie en mains. Elle était maîtresse de son destin et envisageait de le montrer publiquement. Aidée de la baronne Lehzen, Victoria établissait son début de règne.

ℒ

Épuisée par les nombreuses responsabilités des premiers mois, la souveraine s'exila quelques semaines au château de Windsor. Depuis son entrée en fonction, elle s'était consacrée jour et nuit à sa charge officielle. À vrai dire, elle ne dormait que quatre heures par nuit. Avant d'entreprendre la rentrée parlementaire et les préparatifs de son couronnement, elle avait un besoin crucial de se ressourcer hors de la capitale.

« Baronne, venez avec moi. Une promenade équestre à l'air frais de la campagne nous fera le plus grand bien », lança la jeune femme en prenant place sur la selle de sa brave bête.

Couverte d'un chapeau noir attaché par un délicat foulard en soie rose et vêtue d'une robe brune trop large sur son frêle corps, Victoria s'élança dans les champs de céréales. Enfin, elle goûtait à la liberté après tant d'années. Elle n'avait pas revu sa mère depuis cette fameuse journée où elle l'avait bannie formellement. Quant à Sir John Conroy, il s'était fait plus discret derrière la jupe de sa complice. La vie semblait enfin sourire à Victoria.

« Attendez-moi ! » cria la secrétaire particulière, très loin derrière sa maîtresse.

« Ma chère amie, vous prenez de l'âge, je crois », s'exclama la reine pour taquiner l'autre.

Après plus d'une heure de course, les deux femmes descendirent de leur monture pour se dégourdir les jambes. Elles s'étaient arrêtées près d'un ruisseau, non loin d'une église en pierre des champs.

« Madame, je sais que vous m'avez déjà fait part de votre réticence à vous marier, mais sachez que des ragots circulent dans les salons londoniens », déclara la baronne en craignant une mauvaise réaction de la part de sa protégée.

« Pourquoi un homme doit-il prendre le contrôle de ma vie ? N'ai-je pas assez souffert au palais de Kensington ? »

« Je comprends… Mais qui vous appuiera lorsque vous aurez du chagrin ? Avec qui terminerez-vous vos jours ? Qui sera le père de vos héritiers ? » déclara la confidente pour faire réfléchir Victoria.

Jusqu'à présent, la souveraine n'avait jamais envisagé de s'unir à quelqu'un. Dans sa tête, elle était capable de poursuivre son existence sans être mariée. N'empêche que les arguments de Louise Lehzen étaient percutants. Elle se promit d'y songer plus longuement après son couronnement.

Pendant près d'un an, le gouvernement et l'entourage de la reine préparèrent la cérémonie tant attendue. L'événement spectaculaire devait se

dérouler le 28 juin 1838, soit un mois après les dix-
neuf ans de Victoria. Pour l'occasion, la célébration
devait avoir lieu à l'abbaye de Westminster, l'une des
plus imposantes structures architecturales de
Londres. Plusieurs centaines d'invités étaient atten-
dus. Des représentants de chaque colonie de
l'Empire devaient assister au couronnement royal.
Les plus illustres aristocrates européens avaient
prévu se déplacer pour cette journée historique. Des
gerbes de fleurs multicolores des quatre coins du
royaume parfumaient le temple protestant. Des
dizaines de chandelles blanches et des banderoles à
l'effigie des armoiries de la Grande-Bretagne
décoraient les lieux. Au milieu du chœur, on avait
fait installer le trône de saint Édouard le Confesseur.
En dessous, à l'instar du sacre des monarques précédents, la légendaire pierre de Scone fut insérée.
Tout était fin prêt pour couronner la jeune reine.

ℒ

Le trône royal sur lequel les souverains anglais, et
par la suite britanniques, se faisaient couronner avait
été confectionné en 1307, sur les ordres d'Édouard
Ier. Le meuble en chêne était recouvert de dorures.
De la fine peinture agrémentait l'aspect visuel de la
majestueuse chaise. Tous les rois et toutes les reines
s'étaient assis sur l'objet robuste, à l'exception de la
très catholique Marie Tudor. Cette dernière opta
pour un fauteuil envoyé par le pape. Le trône n'avait
jamais quitté l'enceinte de l'abbaye de Westminster,
sauf lors de la prise du pouvoir par le révolutionnaire Oliver Cromwell au XVIIᵉ siècle.

Pour sa part, la pierre de Scone, aussi nommée pierre du Destin, symbolisait l'autorité royale écossaise. Selon la légende vieille de plus de mille ans, l'imposante roche avait des propriétés magiques. Ramenée d'Irlande vers le VIIIᵉ siècle, elle servait lors du sacre des monarques du royaume gaélique. Depuis toujours, la pierre était gardée sous surveillance à l'abbaye de Scone, près de Perth. Malheureusement, en 1296, le roi d'Angleterre vola le précieux objet lors d'une guerre. Il décida de le transporter jusqu'à Londres et l'installa sous le trône royal. Depuis cet événement, la pierre n'est jamais retournée en Écosse.

Le matin du couronnement, Victoria s'était réveillée à l'aurore. En vérité, elle n'avait pas fermé l'œil de la nuit. La nervosité s'était emparée d'elle et l'avait empêchée de dormir. La souveraine savait que cette journée était des plus importantes pour elle, mais également pour son peuple. La dernière reine intronisée, Anne Stuart, en 1702, avait laissé un goût plutôt amer du pouvoir féminin. Aujourd'hui, Victoria régnait sur un empire considérablement plus puissant qu'à cette époque. Tous espéraient un nouvel essor pour la Grande-Bretagne, en particulier les membres du gouvernement.

« Baronne, où est mon bracelet de diamants ? » demanda la souveraine d'un ton impatient.

78

« Soyez sans crainte, nous le retrouverons… du moins, je l'espère ! » répondit Louise en cherchant sous les meubles de l'antichambre de sa maîtresse.

Tous fourmillaient autour de la reine en cette journée de couronnement royal. Debout au milieu de la pièce, Victoria se laissait vêtir par ses nouvelles dames de compagnie. Chacune s'affairait à une partie du mince corps de la jeune femme. Depuis des mois, les préparatifs avaient occupé presque tout le temps du personnel du palais de Buckingham. Il y avait tant de détails à régler avant l'événement historique.

« Ma chère amie, l'avez-vous ? » revint à la charge la reine en se grattant les bras avec nervosité.

« Non, pas encore ! » répliqua la secrétaire particulière en poursuivant ses recherches.

« Cette robe me rend mal à l'aise », dit la souveraine en essayant de se soulager la peau sous le tissu.

« Madame, vous êtes anxieuse… Voilà tout ! » expliqua la plus âgée des suivantes.

« Peut-être ! Mais je ne suis pas davantage calmée par le fait de connaître la source de mon malaise. »

« Votre Majesté, cessez de vous énerver. Tout se déroulera comme vous l'avez prévu depuis près d'un an », précisa Louise pour détendre sa protégée.

Au bout d'une d'heure, Victoria était entièrement vêtue pour l'occasion. Elle portait une élégante robe blanche ornée de fil d'or, dont des dizaines de pierres précieuses enjolivaient le buste. Pour cacher les mains de la souveraine, de délicats gants s'harmonisaient parfaitement au couleur du vêtement. Sur les conseils avisés de la baronne, Victoria avait décidé de relever ses cheveux en chignon. Cette coiffe lui permettrait de garder plus solidement la couronne sur sa tête lors de la cérémonie. Comme le voulait la tradition, une longue traîne en velours rouge reposait sur les épaules de la couronnée.

« Il semble que je ne porterai pas mon magnifique bracelet », lança Victoria en s'apprêtant à quitter l'antichambre.

Déçue de ne pas avoir retrouvé le précieux bijou, la confidente baissa les yeux en signe d'amertume. Une surprise l'attendait lorsque son regard se posa sur la traîne de sa maîtresse. Le convoité objet y était accroché et pendait derrière la reine. Une joie s'empara de la baronne tant elle était soulagée de le découvrir à ce moment précis.

« Votre Majesté, il semblerait que votre bracelet vous colle à la peau », s'exclama la femme en souriant.

« Que me dites-vous là ? » dit la reine avec un certain étonnement.

Louise s'approcha de sa protégée et retira le bijou du long vêtement. Elle le présenta à Victoria avec un air satisfait.

80

« Vous l'avez retrouvé ! » déclara la souveraine en tendant la main vers son bien.

« Il ne vous avait pas quittée », dit l'amie en guise de réponse.

Victoria prit le bijou entre ses douces mains et l'attacha à son poignet gracile. Tout était en place pour les célébrations tant attendues.

Le carrosse doré de la reine de Grande-Bretagne arriva finalement devant le parvis de l'abbaye de Westminster. Le long du trajet entre la résidence royale et le bâtiment religieux, des milliers de sujets saluèrent leur nouvelle souveraine. Jamais la capitale n'avait autant résonné aux cris du peuple. Le royaume entier voulait démontrer à la jeune femme sa loyauté.

Victoria sortit la tête, prit une profonde inspiration et descendit lentement du véhicule. Lorsque la reine déposa son pied au sol, la foule rassemblée autour d'elle se mit à applaudir d'allégresse.

« Vive la reine ! » scandèrent les nombreux curieux.

Victoria se redressa dignement et entreprit de saluer les gens de la main. Des cris de bonheur se firent entendre dans un large rayon. Rassurée par l'enthousiasme de son peuple, elle avança vers son destin. Elle pénétra d'un pas ferme dans le temple protestant. La souveraine était plus que jamais convaincue de sa mission. L'assistance qui prenait place sur les bancs de l'abbaye était aussi fébrile que le reste du pays. Plus de deux cents invités attendaient le passage de leur maîtresse. Parmi eux, on pouvait identifier les membres de la famille royale, y compris la duchesse de Kent, qui avait reçu une permission spéciale pour la circonstance. En vérité, la reine ne voulait pas que les mauvaises langues se délient lors des célébrations officielles. En arrière-plan, un chœur de jeunes garçons chantait à l'unisson. Victoria se dirigea vers le trône royal autour duquel des hommes d'Église se tenaient debout en soutane. Elle monta les trois marches, fit quelques pas, se plaça devant la chaise de ses ancêtres et se retourna d'un mouvement calculé. Devant ses yeux éblouis, une foule l'épiait minutieusement de la tête aux pieds. Un instant plus tard, l'archevêque de Cantorbéry l'invita à s'asseoir sur le meuble en chêne.

« Nous sommes réunis ici pour le couronnement de notre bien-aimée reine. En cette journée que Dieu nous a donnée, soyez fiers d'être les sujets d'un monarque bon et compatissant », dit en guise d'introduction le religieux en levant ses bras au ciel.

Il se tourna vers sa maîtresse et lui fit une sincère révérence. Deux autres hommes s'approchèrent de lui en transportant chacun un objet du sacre. Le premier tenait un globe, alors que le deuxième soulevait un sceptre richement décoré.

« Par ce globe, le pouvoir spirituel vous appartient dès cet instant », prononça le chef théologique de l'Église anglicane en déposant la sphère dans la main gauche de la jeune femme.

Victoria, fébrile, tint avec grand-peine la boule en or. Elle craignit même de l'échapper. Pour ajouter au stress, ses mains devinrent extrêmement moites.

« Par ce sceptre, le pouvoir militaire vous appartient dès cet instant », déclara solennellement l'archevêque de Cantorbéry en glissant le bâton en argent entre les doigts effilés de la souveraine.

Au loin, le premier ministre, Lord Melbourne, admirait la scène avec un certain plaisir coupable. Il savait que l'inexpérience de la souveraine jouerait en sa faveur, du moins sur le plan politique. En assumant le rôle de chef du gouvernement de Sa Majesté, il lui serait plus facile de conseiller Victoria. Le politicien en profiterait pour la modeler à son image. Il jubilait presque de la facilité avec laquelle ses efforts seraient considérablement récompensés.

Le moment crucial de l'événement se présenta lorsque le religieux souleva la couronne royale en haut de ses bras fatigués. Le précieux objet symbolisait toute la puissance de la monarchie de la Maison de Hanovre.

« Par la couronne de saint Édouard le Confesseur, le pouvoir royal vous appartient dès cet instant », dit le célébrant en installant l'objet éblouissant sur la tête de la jeune femme.

Édouard le Confesseur avait été le dernier roi d'Angleterre avant la conquête de Guillaume de Normandie. Mort vers 1066, le souverain était reconnu pour sa piété indéfectible envers le Christ. Il n'aurait apparemment jamais consommé son mariage avec son épouse, la reine Édith de Wessex. Tout le long de son règne, une paix s'était installée sur son royaume florissant. Il échappa, souvent de justesse, à des tentatives de prise de pouvoir par d'autres seigneurs. À la fin de sa vie, alors qu'il était sans héritier officiel, les Normands envahirent son territoire et en prirent le contrôle définitif. Le monarque, adulé par ses sujets, sera inhumé sous l'abbaye de Westminster. Pour les catholiques des îles britanniques, il représentait leur saint patron. Il fut canonisé par l'Église de Rome en 1161. Le fait que, trente-six ans après son décès, son corps soit resté intact lui a permis de figurer dans la sainte liste. Au XVIIᵉ siècle, une réplique – utilisée lors du sacre du souverain – sera modelée sur celle du dernier roi anglo-saxon d'avant la Conquête.

❧

L'ecclésiastique recula de quelques pas et fit une seconde révérence à sa maîtresse. Il se retourna vers l'assistance et ouvrit les bras de nouveau.

« Par la grâce de Dieu, voici la reine de Grande-Bretagne et d'Irlande, chef de l'Empire britannique et défenseur de la foi protestante », dit-il d'une voix forte afin de se faire entendre aux quatre coins de l'abbaye.

84

Tous se levèrent, se courbèrent le dos légèrement et hurlèrent de joie.

« Hourra ! Vive la reine ! »

En voyant que toute cette agitation lui était destinée, la nouvelle tête couronnée versa une larme sur sa joue rose. Sa Majesté la reine Victoria Ire s'était juré d'assumer ses responsabilités jusqu'à sa mort. Dès lors, un destin exceptionnel l'attendait.

CHAPITRE III
Un mariage d'amour

Palais de Buckingham, 1839-1840

L'ANNÉE 1839 débuta plutôt mal pour la jeune reine Victoria. Âgée de près de vingt ans, la souveraine était incapable de maîtriser les affaires du pays. Son manque d'expérience se faisait terriblement sentir dans ses prérogatives royales. Elle choisissait les mauvais termes lors de ses discours devant le public, elle avait de la difficulté à retenir le nom de ses ministres et elle ne connaissait pas les principales lois votées par le Parlement. Plusieurs commençaient à se moquer ouvertement d'elle lors des soirées de la haute société. Cette situation pittoresque profita à Lord Melbourne. Grâce à la chute de popularité de la souveraine, il put se mettre à l'avant-scène. Sa première initiative fut de rencontrer la reine en privé.

Un matin de février, le premier ministre se rendit au palais de Buckingham pour une audience royale. L'homme de grande taille et au corps svelte avait réussi à convaincre la baronne Lehzen de l'utilité de son déplacement. Il lui avait simplement dressé un portrait alarmant des affaires du pays, lesquelles pouvaient mettre Victoria en danger.

86

Protectrice dans l'âme, Louise organisa une brève rencontre entre la reine et le premier ministre du Royaume-Uni.

« Lord Melbourne, je vous prie d'attendre Sa Majesté dans le salon privé », se contenta de dire la secrétaire particulière de la puissante femme.

William Lamb était un habitué des lieux car, pendant les dernières années du règne de Guillaume IV, il vint régulièrement rendre des comptes au roi. Le défunt monarque dira même de lui qu'il fut son meilleur chef de gouvernement. À vrai dire, l'oncle de Victoria n'avait connu qu'une poignée de premiers ministres.

« Sa Majesté la reine ! » annonça un valet vêtu d'un uniforme rouge écarlate en ouvrant la porte de la pièce.

Victoria pénétra d'un pas léger dans le salon. On aurait pu croire que ses souliers ne touchaient pas le sol. Elle dégageait un raffinement d'une rare intensité.

« Monsieur le premier ministre, que me vaut votre visite aujourd'hui ? » dit-elle sur le bout des lèvres en prenant place dans un fauteuil rembourré.

« Madame, à titre de chef de gouvernement, il est de mon devoir de vous informer de la mauvaise humeur de votre peuple », répondit l'individu sans ménager ses paroles.

« Que voulez-vous insinuer ? Mes sujets m'aiment, car je suis une reine déterminée à les protéger au plus fort de mes connaissances. »

« Voilà le problème, Votre Majesté. Vous êtes sur le trône depuis très peu de temps et vous n'avez peut-être pas saisi toute l'ampleur de votre tâche », lança l'autre sans mettre de gants.

Étonnée par la franchise plutôt déconcertante de Lord Melbourne, la souveraine éclata de rire. L'attitude du politicien lui plaisait. Elle n'avait pas l'habitude qu'on lui tienne ainsi tête. Curieuse, la jeune femme lui demanda de poursuivre ses explications.

« Vous avez de lourdes responsabilités envers la Grande-Bretagne et l'Empire. Votre entourage ne semble pas être en mesure de vous conseiller adéquatement. Si vous acceptez, je me ferai un devoir de vous guider dans votre rôle », proposa William Lamb en se courbant le dos en signe de respect.

« Vous… Vous prétendez être mon sauveur », déclara Victoria en se levant de son fauteuil.

Elle se dirigea vers l'homme, le regarda dans les yeux et lui fit un sourire. Sous ses airs imperturbables, la souveraine remercia le Tout-Puissant de lui avoir envoyé ce parlementaire. Depuis un long moment, elle affrontait des échecs de plus en plus difficiles à surmonter. L'individu tombait à point nommé dans ce début de règne houleux.

88

« Lord Melbourne, dans votre grande sagesse, que me suggérez-vous de faire en premier ? » questionna la souveraine en tournant autour du premier ministre.

« Je crois que vous devriez remplacer vos dames de compagnie par des partisanes de notre cause. Vous serez plus tranquille de parler librement devant elles sans craindre qu'elles vous trahissent. »

La proposition intéressait Victoria, mais était-ce suffisant pour refaire son image ? La reine s'arrêta devant une petite table haute, fabriquée de bois provenant du pays de Galles, et joua avec ses doigts effilés sur le meuble. Ces derniers, en touchant le mobilier, faisaient de petits bruits inégaux.

« Par qui devrais-je les remplacer, selon vous ? » s'exclama-t-elle sans se retourner.

« Des amies… De fidèles et loyales alliées de mon parti », répondit le politicien du tac au tac.

« En agissant ainsi, ne renierais-je pas ma neutralité comme reine de ce pays ? » répliqua la souveraine.

William Lamb avança de quelques pas vers sa maîtresse et baissa la tête légèrement. Elle était moins facile à manipuler qu'il ne l'avait cru. Le premier ministre devait s'y prendre autrement pour arriver à ses fins.

« Madame, vous devez me faire confiance. Je reconnais que l'idée peut sembler quelque peu perturbante pour Sa Majesté, mais il est primordial de vous entourer d'amies et non de traîtresses. »

La reine se retourna immédiatement en direction de l'homme aux cheveux hirsutes. La mise en garde qu'il venait de lui faire l'avait heurtée dans son ego. À en juger les paroles du politicien, elle n'avait pas choisi correctement ses dames de compagnie. La prétention de Lord Melbourne ne lui plaisait guère.

« Donc, mon cher premier ministre, je n'ai pas fait de bons choix lors de mes nominations ? » lui lança-t-elle sans mâcher ses mots.

Le parlementaire pouvait lire dans les yeux de la jeune femme une colère dissimulée. Comment pouvait-il changer l'opinion de la souveraine en sa faveur ?

« Votre Majesté, si vous n'avez pas confiance en moi, je me dois de vous remettre ma démission », déclara-t-il en baissant à nouveau la tête en signe de soumission.

Prise au dépourvu par les propos du chef du gouvernement, Victoria n'était pas en mesure de gagner la partie contre lui. Elle déposa sa main sur le bras gauche de l'homme et l'invita à s'asseoir sur un divan.

« Monsieur le premier ministre, votre geste vous honore. Vous êtes prêt à quitter vos fonctions, que vous remplissez avec discernement, pour maintenir votre opinion. Vous êtes un grand politicien comme il s'en fait peu en Grande-Bretagne », dit la reine en prenant place dans son fauteuil.

William Lamb venait de réaliser son plan avec une réelle facilité. Il lui avait suffi de laisser planer le doute quant à un départ précipité pour amadouer la naïve reine. En son for intérieur, il était satisfait de sa tactique et s'en réjouissait.

La reine et le parlementaire passèrent plus d'une heure à échanger sur les affaires courantes du pays. L'homme lui présenta les lois à sanctionner, les nominations à confirmer, les projets ministériels à mener à terme et l'état des finances du royaume. La jeune femme écoutait attentivement toutes les paroles de Lord Melbourne. Pour la première fois depuis son accession au trône royal, elle avait le sentiment de prendre part à l'avancement de la Grande-Bretagne. Le premier ministre savait expliquer le fonctionnement du pouvoir à l'inexpérimentée souveraine. Cette journée-là, il devint son mentor dans le monde cruel de la politique.

Personnalité publique très appréciée par ses pairs, William Lamb naquit en 1779, à Londres. Il appartenait à une famille aristocratique fortunée de la capitale britannique. Son père, le vicomte Melbourne, l'obligea à étudier dans les meilleures institutions académiques du pays. Il fréquentera les collèges Eton et Trinity, à Cambridge. L'homme se mariera à une noble du nord de l'Angleterre et entre-temps recevra le titre de lord. Très rapidement, il se fera élire comme député à la Chambre des communes sous la bannière du Parti whig. Sa brillante ascension le propulsera au poste de secrétaire de l'Intérieur en 1830. Assoiffé de pouvoir, le politicien deviendra le premier ministre de Grande-Bretagne à l'été 1834. Dans la même année, le roi Guillaume IV lui retirera ses fonctions en signe de désapprobation de ses nouvelles réformes. Au printemps 1835, Lord Melbourne se fera réélire de façon majoritaire au Parlement. Dès lors, il entreprendra une véritable modification du fonctionnement politique du pays. Son parti et ses députés gouverneront la nation avec une certaine habileté à faire accepter leurs actions, tant par la haute société que par le peuple.

❧

En l'honneur du nouveau lord-maire de Londres, le premier ministre organisa un somptueux banquet le premier samedi d'avril. L'événement se déroula au Guildhall, le siège de l'administration locale, en présence d'une centaine d'invités. Pour l'occasion, la reine décida de se présenter à la soirée afin de féliciter le politicien. Cette initiative – une idée de Lord Melbourne – devait redorer le blason de la souveraine. Vêtue d'une robe bleue et d'un châle de la même teinte, Victoria arriva sous le son des trompettes de la garde royale. Elle était accompagnée de sa secrétaire particulière et de deux dames de compagnie, chacune étant l'épouse d'un membre du Parti whig.

« Votre Majesté, quel plaisir de vous voir en ces lieux », s'exclama William Lamb en déposant un baiser sur la main de sa maîtresse.

« Vous êtes trop aimable », répondit la souveraine sous le regard curieux des invités.

« Madame, permettez-moi de vous présenter Sir Chapman Marshall. Il vous représentera dans la capitale », annonça le chef du gouvernement.

« Votre Majesté, c'est un privilège pour moi de vous rencontrer ici », dit le lord-maire en courbant le dos comme l'exigeait l'étiquette de la Cour royale.

« On m'a dit que vous étiez un ardent défenseur de la littérature du pays. Est-ce vrai ? » demanda la reine en lui souriant pour détendre l'atmosphère.

« Absolument ! Ces jours-ci, je prends un malin plaisir à suivre avec assiduité les aventures du courageux Oliver Twist. »

« Ce personnage m'est inconnu. De quel auteur s'agit-il ? » s'informa avec intérêt la jeune femme.

« Un certain Charles Dickens… Il édite la revue *Bentley's Miscellany* », précisa l'individu à moitié myope.

« Vraiment ! Que raconte l'histoire de ce Oliver Twist ? »

« Un récit sur un pauvre orphelin, exploité par ses maîtres, mais doté d'une détermination déconcertante. Au fil des pages, on découvre qu'il appartient à une riche famille londonienne. Certains sont persuadés qu'il s'agit de la véritable vie de l'écrivain, mais ce dernier refuse de confirmer ces ragots », décrivit le politicien avec passion.

« En effet, voilà une bien jolie histoire. Croyez-vous qu'il vous serait possible de me faire parvenir les éditions de la revue ? Je meurs d'envie de lire cette œuvre littéraire », précisa la reine en lui déposant une main sur l'épaule.

« Avec plaisir, Votre Majesté ! »

Toute la soirée, Victoria rencontra diverses personnalités publiques de la capitale. Des artistes de théâtre, des interprètes de musique classique, des savants renommés et des gens de l'aristocratie locale. Tous voulaient saluer leur maîtresse ou simplement la voir passer près d'eux. Elle était l'attrait principal du très sélect banquet.

Au début de la nuit, fatiguée par les heures passées au Guildhall, la souveraine ordonna à l'une de ses dames de compagnie de faire avancer le carrosse devant les portes du bâtiment peint en blanc. Alors qu'elle s'apprêtait à quitter la pièce centrale, un homme à la moustache brune s'approcha d'elle. Il baissa la tête légèrement vers l'avant tout en plaçant son bras droit sur sa poitrine.

« Votre Majesté, veuillez me pardonner cette intrusion de dernière minute », dit-il sur un ton des plus doux.

La souveraine était époustouflée par la beauté de l'inconnu. Il avait un visage d'une symétrie parfaite et des lèvres magnifiquement découpées. Victoria était hypnotisée par le bleu pâle des yeux du gentilhomme. La beauté du noble lui plaisait profondément.

« Je suis votre cousin, Albert de Saxe-Cobourg-Gotha », annonça-t-il en se redressant.

« Albert ! Bien sûr, j'ai tellement entendu parler de vous par notre oncle Leopold. J'ai le sentiment de vous connaître déjà », s'exclama-t-elle en esquissant un sourire au coin des lèvres.

« Il ne faut pas croire tout ce qu'on raconte à mon sujet », répondit le prince, un peu intimidé par l'attitude extravertie de sa cousine.

« Quelle est la raison de votre visite en Grande-Bretagne ? » demanda Victoria.

« Je dois participer à une conférence donnée par un éminent professeur de l'Université d'Oxford. »

« Sur quel sujet ? » s'informa la souveraine.

« Le manque de logements pour les travailleurs en milieu industriel », dit l'homme.

« Accepteriez-vous de passer au palais de Buckingham lors de votre séjour parmi nous ? »

« Si Sa Majesté le désire ! » répondit Albert en admirant la silhouette de sa cousine.

La reine le salua une dernière fois et poursuivit son chemin jusqu'à l'extérieur du Guildhall. Avant de franchir les portes de l'édifice, elle tourna discrètement la tête pour revoir son cousin. Il avait piqué sa curiosité comme aucun autre homme ne l'avait fait. L'intérêt de la souveraine pour l'aristocrate ne passa pas inaperçu auprès de la baronne Lehzen. Certes, la confidente partageait les mêmes goûts que sa maîtresse pour la gent masculine, mais n'appréciait guère son enthousiasme. Non pas qu'elle avait des appréhensions à l'égard du prince de Saxe-Cobourg-Gotha, mais parce qu'elle avait vu le regard que Victoria avait posé sur lui.

« Chère amie, ne trouvez-vous pas qu'Albert est un homme charmant ? » demanda la reine en se souciant peu de la réponse de l'autre.

« Bien sûr ! Ils le sont tous au premier regard… », répliqua la secrétaire particulière, un peu jalouse de l'attention de Victoria pour son cousin.

Tout le long du trajet la menant vers sa résidence officielle, la plus puissante femme du royaume revoyait le joli visage du noble germanique. Ce proche parent avait fait jaillir en elle une pulsion jusqu'alors inconnue. La femme qui sommeillait en elle se réveillait lentement. Les jours suivants, elle ne cessait de repenser à cette brève mais excitante rencontre.

Comme convenu lors du banquet donné en l'honneur du lord-maire de Londres, la reine reçut au palais de Buckingham la visite – tant désirée – du prince Albert. Près de quatre jours s'étaient écoulés depuis leur premier entretien. Les deux jeunes gens mouraient d'impatience de se revoir plus intimement.

« Votre Majesté, Son Altesse sérénissime le prince de Saxe-Cobourg-Gotha est arrivée », annonça l'un des valets de la demeure royale.

Pourtant habituée à ces audiences, Victoria avait les mains moites à l'idée de s'entretenir en privé avec son cousin. De quoi discuteraient-ils ? Était-elle aussi magnifique que lors de leur première rencontre ? Tant de questions se bousculaient dans sa tête agitée.

« Faites-le entrer ! » ordonna-t-elle en replaçant le bas de sa robe.

Lorsque s'ouvrit la porte de la bibliothèque, un frisson parcourut le corps de la souveraine. Les poils de ses bras se dressèrent et son cœur battit à tout rompre. Soudain, le noble germanique fit son apparition dans la pièce trop ensoleillée. Cela le rendait encore plus splendide que la première fois. Albert portait un uniforme noir et gris ainsi qu'un veston assorti aux autres vêtements.

« Madame, je vous remercie de m'accueillir dans votre palais », dit-il en guise d'introduction.

« Mon cher cousin, votre présence me réconforte au plus haut point. Sachez que vous ne pouviez me rendre plus heureuse qu'en acceptant mon invitation », affirma la maîtresse des lieux.

Albert s'approcha timidement de la reine en se tenant le dos bien droit. Il voulait faire bonne impression. Au milieu des meubles garnis de centaines de livres, les deux jeunes nobles se regardaient avec convoitise. Il était clair qu'ils ressentaient une attirance mutuelle. On pouvait même dire que cette attraction physique était très intense.

« Comment vous portez-vous, aujourd'hui ? » demanda le prince.

« Comme un charme ! Aimez-vous les promenades ? » questionna Victoria en se retournant vers la fenêtre d'où on pouvait admirer les jardins.

« Vous me feriez le plus grand honneur si vous acceptiez de m'accompagner à l'extérieur », dit l'homme en saisissant le sens des paroles de sa cousine.

Victoria accepta avec empressement la proposition du prince. Ils descendirent au rez-de-chaussée, côte à côte, en longeant les interminables couloirs sombres de la résidence royale. Témoin de la scène, la baronne Lehzen épiait les mouvements de sa maîtresse afin de détecter ses sentiments envers le Germanique. Pour le moment, ils semblaient limiter à une chimie strictement physique.

« Êtes-vous passé par Bruxelles avant de venir à Londres ? » interrogea la reine en marchant à la même cadence que son cousin.

« Oui ! Notre oncle se sent obligé de me dicter mes moindres faits et gestes. Je ne pouvais me rendre en Grande-Bretagne sans avoir reçu ses recommandations », avoua Albert en toute liberté.

« Nous avons donc un point commun… Sa Majesté le roi des Belges m'écrit régulièrement des lettres dans lesquelles il me fait part de ses conseils d'homme expérimenté », soupira-t-elle en souriant.

« Effectivement ! Nous subissons les mêmes recommandations… Pardonnez-moi ! Je ne voulais pas me comparer à Votre Majesté. »

La souveraine s'arrêta aussitôt et serra doucement l'avant-bras d'Albert. Elle ne voulait en aucun cas que son cousin se sente gêné en sa présence.

« Vous n'avez rien à vous reprocher ! Nous sommes parents, après tout », lui dit-elle pour le soulager.

Avant qu'il n'émette un commentaire, la reine le tira jusqu'à un banc en fer forgé, situé au pied d'un arbre. Ils seraient ainsi cachés du regard des curieux qui travaillaient sur le domaine. Sous le chêne, Victoria et Albert discutèrent pendant trois quarts d'heure. Ils pouvaient échanger tant sur leurs compositeurs de prédilection que sur leurs plats préférés. Aucun sujet ne semblait tabou entre eux.

Même s'il s'agissait de leur deuxième rencontre seulement, on eut dit que les deux jeunes nobles se connaissaient depuis toujours. Ils avaient un plaisir incommensurable à se tenir compagnie. Quiconque les voyait ensemble pouvait dire que le bonheur ruisselait sur eux.

« Quand reviendrez-vous en Grande-Bretagne ? » demanda la souveraine au moment où ils se levèrent de leur siège.

« Je ne sais pas. Plusieurs dossiers m'attendent en Saxe et ma famille compte sur moi pour les régler dans les plus brefs délais », expliqua le prince en replaçant son uniforme.

« Promettez-moi de m'écrire souvent. J'ai peu d'amis et votre présence me réjouit », ajouta-t-elle en lui retirant une feuille accrochée à ses cheveux.

« Je me ferai un devoir de vous envoyer une lettre par jour », lui répondit-il d'un ton quelque peu solennel.

La souveraine reconduisit son invité jusqu'à l'entrée principale du palais de Buckingham. Elle n'avait jamais fait ce geste auparavant, hormis avec le premier ministre. L'un avait porté un réel intérêt pour l'autre, mais de quel ordre était-il ?

« Votre Majesté, cette journée restera à jamais gravée dans ma mémoire », conclut Albert à bord de son carrosse noir.

Les semaines suivantes, le prince de Saxe-Cobourg-Gotha écrivit de nombreuses lettres à sa cousine. Certaines étaient volumineuses, alors que d'autres se limitaient à une seule page. Il ne manquait pas d'idées pour rédiger ses messages : un livre qu'il venait de dénicher dans une librairie, un récital auquel il avait assisté à l'opéra de la ville ou encore des anecdotes sucrées sur les aristocrates qui l'entouraient. Le contenu était aussi diversifié que le contenant. En effet, le jeune homme pouvait insérer le billet dans une enveloppe brune comme il pouvait le glisser dans un coffre en bois gravé de ses mains. La reine, impatiente de recevoir ses lettres quotidiennes, prenait une demi-heure chaque matin pour lire les phrases écrites par son cousin. Bientôt, une tonne de correspondances s'empila sur les meubles de l'antichambre de la souveraine.

ℐ

Une période difficile s'amorça au début du mois de mai 1839 lorsque Lord Melbourne démissionna de son poste. De graves problèmes avaient éclos à l'intérieur des colonies de l'Empire. En Amérique, les colonies se soulevèrent contre l'administration britannique devenue trop oppressante envers leurs sujets. Face à ce mécontentement généralisé, William Lamb perdit la confiance de la Chambre des communes et de la Chambre des lords. Il dut quitter ses fonctions de chef du gouvernement de Grande-Bretagne.

« Madame, un messager du Parlement ! » s'écria Sarah Woolth, la plus jeune des dames de compagnie de la souveraine, en s'élançant dans les jardins de la résidence royale.

« Que se passe-t-il ? » questionna Victoria, perturbée par tant d'agitation.

Un individu arborant les armoiries de l'édifice où logeait le gouvernement suivait la servante d'un pas accéléré. Il semblait préoccupé par le lourd message qu'il devait communiquer à sa maîtresse.

« Votre Majesté, je dois vous informer d'un événement des plus bouleversants pour le royaume et l'Empire », dit-il d'un seul souffle en se courbant rapidement le dos.

Intriguée par les propos alarmants de son héraut, Victoria s'avança vers lui afin de bien l'entendre. L'homme semblait si nerveux que son attitude inquiéta la reine.

« Dites, mon brave ! »

« Sa Seigneurie, Lord Melbourne, a annoncé aux membres du Parlement qu'il quittait son siège de premier ministre », prononça l'individu, étonné lui-même de la situation.

Victoria reçut les propos du messager comme une gifle en plein visage. Son mentor, William Lamb, n'était plus le premier ministre, *son* premier ministre. Même si la reine n'avait pas accepté cette démission, dans les faits elle ne pouvait que se soumettre à la décision. Le politicien était libre de choisir sa destinée mais, devant la perte de confiance du parti de l'opposition, il n'avait guère d'autre choix que de se retirer. La jeune femme était préoccupée, voire effrayée, de ne plus bénéficier du soutien du chef du gouvernement. Sans Lord Melbourne, elle ne pouvait régner sur la Grande-Bretagne compte tenu de son manque d'expérience.

« Faites venir la baronne immédiatement ! » ordonna la souveraine à sa dame de compagnie.

Quelques minutes plus tard, Louise Lehzen et la reine discutèrent de la suite des événements. En ce début de règne, Victoria devait, bien malgré elle, compter uniquement sur ses propres compétences. N'étant plus à la tête du gouvernement, William Lamb n'avait plus accès aux décisions des ministres. Il ne pouvait donc en aucun cas en discuter avec elle, encore moins prendre des initiatives.

« Ma chère amie, comment pourrais-je gouverner la Grande-Bretagne si je n'ai plus les précieux conseils de Lord Melbourne ? » déclara la souveraine en se promenant avec sa secrétaire particulière.

« Madame, vous devrez collaborer avec celui qui le remplacera comme premier ministre. »

« Qui ? J'avais mis toute ma confiance en cet homme. Maintenant, dois-je la lui retirer pour la donner à un autre ? »

« Pas nécessairement ! J'ai peut-être une idée pour ramener Lord Melbourne à son poste », lança la baronne en souriant.

« Dites ! » s'exclama la souveraine, intriguée de connaître la solution de sa confidente.

« Vous avez nommé des dames de compagnie sur les recommandations de William Lamb. Alors, lorsque le prochain premier ministre vous proposera de remplacer les partisanes du Parti whig, vous n'aurez qu'à refuser. Selon moi, il comprendra que son gouvernement n'a pas l'appui de la reine. Sans votre reconnaissance royale, le chef des *tories* ne pourra poursuivre sa démarche vers le pouvoir politique », expliqua en détail Louise Lehzen.

« Croyez-vous que cela pourrait fonctionner ? » interrogea la reine.

« Pourquoi pas ? Vous êtes la souveraine… Vous avez donc le dernier mot », répliqua l'autre en haussant les épaules.

Le soir même, Victoria reçut en audience Lord Melbourne pour accepter sa démission, comme l'exigeait le protocole de la Cour. Seule avec le politicien, elle lui fit part de la solution apportée par la baronne. Le premier ministre sortant était enthousiasmé de la collaboration de la jeune femme. *Trop facile !* songea-t-il en lui-même.

104

Deux jours après cet entretien, la puissante femme convoqua Sir Robert Peel, chef du Parti tory, au palais de Buckingham. C'était la première fois qu'elle accueillait ce parlementaire. Il n'était pas envisageable pour elle de devenir trop familière avec cet homme. Elle devait affirmer sa position supérieure, en particulier avec lui.

« Votre Majesté, je suis reconnaissant du privilège que vous m'accordez en me recevant dans vos appartements », dit le premier ministre désigné en faisant une révérence à la reine.

Assise dans un fauteuil à l'effigie de la croix de saint Georges, Victoria demeura de marbre devant Sir Peel. L'homme ressentit aussitôt la réserve de la souveraine à son égard. Malgré tout, il était déterminé à briser la glace en discutant avec elle.

« Je suis ici à titre de premier ministre de Grande-Bretagne et d'Irlande… », annonça-t-il avant d'être rabroué par la souveraine.

« Sachez que vous n'êtes que premier ministre désigné. Désigné ! Tant et aussi longtemps que je n'aurai pas entériné votre statut provisoire, vous n'êtes pas le chef du gouvernement de ce royaume », fulmina Victoria en le fixant durement.

« Madame a raison ! Mais Lord Melbourne a perdu la confiance des membres des deux chambres du Parlement », répliqua-t-il du tac au tac.

« Certes, mais il n'a pas perdu la mienne », rétorqua-t-elle en insistant sur ses mots.

« Votre Majesté, à ce sujet, vous n'êtes pas sans savoir que les dames de compagnie de la souveraine doivent être issues du parti au pouvoir. Voici une liste de noms que je vous propose », dit l'homme en sortant de la poche intérieure de son uniforme un bout de papier.

« Il n'est pas question de changer mon entourage. Je refuse catégoriquement toute discussion à ce propos », lança Victoria d'un air sans équivoque.

Étonné par l'attitude de la jeune femme, Sir Peel se leva d'un bond. Il savait que la souveraine entretenait une certaine amitié avec William Lamb, mais il n'aurait jamais pensé que cette relation nuirait à sa nouvelle charge de chef du gouvernement. Comment la reine pouvait-elle se mettre à dos son premier ministre désigné ? N'était-elle pas consciente de l'embarras qu'elle causait au sein du pouvoir législatif ?

« Madame, sachez que vous faites une erreur en agissant de la sorte. Que vous respectiez Lord Melbourne est une chose, mais que vous méprisiez le Parlement en est une autre », s'exclama le politicien plus ou moins maladroitement.

« Monsieur, vous n'êtes pas à la Chambre des communes devant vos adversaires. Vous vous adressez à votre souveraine ! » répliqua Victoria en haussant le ton.

« Vraiment ? Pourtant, j'avais le sentiment de discuter avec une partisane de l'autre côté de la Chambre. »

« Sortez ! Sachez que je ne vous reconnaîtrai en aucun cas comme mon premier ministre », tonna-t-elle en lui montrant la sortie de la main.

Sir Robert Peel prit la direction désignée, se retourna pour faire une courte révérence et quitta les lieux en se précipitant dans les couloirs du palais de Buckingham. Il était dans une colère noire. De tempérament plutôt calme, il grinça des dents tout le long du trajet le menant vers le parlement. Le chef du Parti tory entra en furie dans la salle verte et fit part de la réaction de la reine à ses collègues. Tous furent ébranlés par la fermeture d'esprit de la plus puissante femme du royaume. Un conseiller du premier ministre désigné fut mandaté pour convoquer d'urgence les membres de la Chambre des communes. Aussitôt, l'orateur prit place sur sa chaise en cuir, située au fond de l'immense pièce.

« Honorables députés, sur avis du premier ministre désigné, j'ouvre la session parlementaire », annonça-t-il du haut de son fauteuil vert.

Des centaines de voix résonnèrent des deux côtés de la Chambre. À la droite de l'orateur se trouvait les législateurs du parti au pouvoir et, à la gauche, ceux de l'opposition. Les chefs, Sir Peel et Lord Melbourne, se tenaient l'un en face de l'autre. On entendait une véritable cacophonie dans la pièce.

« Monsieur l'orateur, j'ai une information des plus importantes à communiquer aux membres de cette institution », lança en guise d'introduction le premier ministre désigné en se tenant debout devant son banc.

Un silence de plomb s'installa tant le ton utilisé par le politicien était péremptoire. Que pouvait-il bien vouloir annoncer de si pressant ? Les députés s'assirent et écoutèrent les paroles du chef du gouvernement.

« Je suis dans l'obligation de vous dire que Sa Majesté la reine a refusé de me reconnaître comme premier ministre de Grande-Bretagne et d'Irlande. Je ne peux donc pas former le gouvernement de ce royaume. »

Assis devant son adversaire, William Lamb jubilait de savoir qu'il reprenait ses fonctions officielles. Jamais il ne se serait douté que la reine oserait rejeter Sir Peel. Vraiment, elle avait beaucoup plus de caractère qu'il ne l'avait imaginé.

Dès que l'annonce fut faite par le chef du Parti tory, elle se propagea comme une traînée de poudre. Du coup, tout le monde ne parlait que de cette nouvelle qui fera date dans l'histoire du pays. Personne n'aurait pensé que la jeune femme aurait fait preuve d'une telle détermination, compte tenu de son peu d'expérience. Certains appuyaient sa décision, mais la grande majorité désapprouvait son geste irréfléchi.

108

Le lendemain, très tôt, Lord Melbourne se rendit à la résidence royale. Le cœur léger, il affichait une réelle joie de vivre. Tous pensaient qu'il était de connivence avec la souveraine dans cette histoire. Pourtant, elle avait agi seule.

« Mon cher ami, quel plaisir de vous revoir ! » déclara Victoria en accueillant le chef du Parti whig.

« Votre Majesté, pas autant que moi ! » lança-t-il en franchissant les portes de la bibliothèque.

Victoria et le premier ministre – qu'elle confirma avec joie comme chef du gouvernement – passèrent plus de deux heures à échanger sur des sujets politiques et personnels. Ils étaient devenus avec le temps de fidèles amis. La souveraine ne passera pas une journée sans le rencontrer ou lui écrire une lettre. Malheureusement, cette proximité nuira considérablement à sa réputation. Dès lors, les aristocrates et même les gens du peuple commenceront à parler de leur maîtresse comme étant *Madame Melbourne*. Les adversaires de William Lamb nommeront cette affaire la *Crise de la chambre à coucher*. Des soulèvements populaires envahiront les rues de la capitale et celles des grandes villes du royaume. Les sujets de Sa Majesté manifesteront pour avoir la démission de Lord Melbourne en tant que chef du gouvernement. Les échos se feront entendre aux quatre coins de l'Empire. Même les dirigeants des colonies en Amérique réclameront le retrait du politicien européen. Chaque fois que Victoria se rendra dans un événement public, elle se fera huer par le peuple. L'archevêque de Cantorbéry lui conseillera de limoger son ami. Elle n'en fera rien. Elle soutiendra le premier ministre coûte que coûte. Entêtée, la jeune femme maintiendra son choix contre vents et marées.

En juin, comme à l'accoutumée, la servante Sarah Woolth se rendit à la messe du dimanche avec sa plus jeune sœur. Cette journée étant son seul congé de la semaine, elle n'était donc pas aux côtés de la souveraine. Ce matin-là, elle arriva l'une des dernières à l'église du quartier. Avant de pénétrer dans le bâtiment religieux, la dame de compagnie demanda à sa cadette d'entrer sans elle. Un caillou dans sa chaussure lui créait un réel inconfort.

« Je vais te rejoindre dans un instant ! »

La suivante de la souveraine se pencha. Sans crier gare, un individu lui frappa l'arrière de la tête avec un bâton. Elle tomba par terre, le visage contre le sol poussiéreux, et perdit conscience immédiatement. La violence du geste la blessa mortellement et plusieurs gouttelettes de sang s'échappèrent de sa blessure. L'agresseur s'enfuit aussitôt dans une ruelle sombre. Un passant découvrira la servante, inerte, quelques instants plus tard. Lorsque l'identité de la jeune femme sera connue, le commissariat de police en informera la secrétaire particulière de Victoria.

110

« Madame, l'une de vos dames de compagnie a été abattue ce matin », annonça la baronne en rejoignant sa maîtresse dans l'antichambre.

« Pauvre fille ! Une si gentille demoiselle au service de son pays, périssant sous la brutalité. Qu'avait-elle fait ? » questionna Victoria sans saisir l'objectif principal de l'agression.

« Selon le chef de police, ce n'était pas elle précisément qui était visée… Mais plutôt vous ! »

« Quoi ? Pourquoi ? » répliqua la reine en cessant de se brosser les cheveux, assise devant son miroir.

« Votre Majesté, les temps ne vous sont pas favorables », déclara la confidente, en s'assurant de ne pas offusquer sa maîtresse.

Consciente de ce qui se déroulait en Grande-Bretagne, Victoria ne savait plus comment réagir pour calmer le peuple. Toute action de sa part ne faisait qu'attiser la colère des sujets du royaume. Pour sa sécurité, Lord Melbourne lui suggéra de ne plus se montrer en public tant et aussi longtemps que la situation ne changerait pas.

Un soir, avant de se glisser sous ses couvertures, la jeune femme regarda par la fenêtre de sa chambre. Les étoiles illuminaient le ciel noir de ce début d'été.

« Pourquoi est-ce si difficile de gouverner ? » murmura-t-elle en fixant les astres.

Soudain, elle eut le goût de rédiger une lettre au prince Albert de Saxe-Cobourg-Gotha. Depuis leur première rencontre, il n'avait jamais quitté ses pensées. À vrai dire, son visage réapparaissait régulièrement dans la mémoire de la souveraine. Elle sortit une feuille et prit place devant son petit secrétaire en bois. Armée d'une plume et d'un encrier, Victoria jeta ses mots sur la page jaune pâle.

Mon cher cousin,

Même aussi loin que la Saxe, vous avez sûrement eu vent des problèmes que j'ai en Grande-Bretagne. Les astres ne me sont nullement favorables depuis plusieurs semaines maintenant. Les parlementaires ne daignent plus me saluer lors de mes participations à des événements officiels et mes sujets peine à me regarder lors de mes apparitions publiques. En ces moments pénibles, votre présence me serait d'un réconfort incommensurable.

Votre affectionnée cousine,

Victoria R

Lorsqu'elle eut terminé sa lettre, la reine déposa la plume sur le meuble et se glissa sous les couvertures de son lit. Une autre journée agitée venait de prendre fin.

Quelques jours plus tard, le noble germanique répondit au message de Victoria. Il s'était fait un devoir de lui écrire le plus rapidement possible. En vérité, il attendait un signe de sa part depuis un long moment déjà.

Votre Majesté,

Effectivement, j'ai entendu certaines informations sur la situation qui prévaut à l'heure actuelle dans votre royaume. Soyez assurée que je n'ai en aucun cas pris position contre vous dans cette grogne populaire. Je sais que vous avez agi selon votre bonne conscience et que le bien de votre peuple est votre seule priorité. Lorsque vous recevrez ces quelques lignes, je serai en route pour Londres, où j'espère vous revoir très bientôt.

Votre affectionné cousin,

Albert

Le 18 juin 1839, le prince de Saxe-Cobourg-Gotha fut accueilli à la résidence royale par Victoria. Les retrouvailles se déroulèrent dans les jardins fleuris du château de Buckingham. Sous un soleil de plomb, le jeune homme fit son apparition près d'un bosquet en pleine croissance. Il portait un élégant uniforme ainsi qu'un chapeau haut-de-forme. Lorsque la reine l'aperçut s'approcher d'elle, son cœur se mit à battre la chamade. Il était encore plus beau que dans son souvenir. Les yeux pétillants, la puissante femme fit quelques pas en direction de l'individu.

« Ma chère cousine, que ma joie est palpable de vous revoir », dit Albert en courbant légèrement le dos.

« Que je suis heureuse de vous savoir auprès de moi en cette période des plus difficiles », répondit la souveraine en lui souriant.

Comme lors de leur précédente rencontre, ils échangèrent de longues heures sur divers sujets. Rien ne semblait les empêcher de se révéler des secrets les plus intimes. La présence du prince redonnait à la reine sa joie de vivre. Ses peurs et ses tristesses ne la hantaient pas lorsqu'il était à ses côtés. Elle se surprenait même à oublier quel rang elle occupait.

Pendant plus d'une semaine, les deux jeunes nobles passèrent leurs journées ensemble. Ils lisaient des livres, écoutaient de la musique, se promenaient dans les jardins et échangeaient continuellement sur tout. Lasse de se retrouver limitée au cœur de la capitale, Victoria proposa à son cousin de la suivre jusqu'au château de Windsor. Là-bas, ils pourraient se cacher des regards indiscrets de la Cour royale.

⁂

D'une superficie sans fin, le château de Windsor était l'une des résidences les plus vieilles du royaume. Les premiers bâtiments furent construits en 1070, sous le règne de Guillaume le Conquérant. Le souverain considérait l'endroit propice pour tenir un siège lors de moments d'instabilité. Il faudra attendre le roi Henri Ier avant de voir un monarque y résider. Après quelques générations y naquit le futur Édouard III. Passionné par les lieux, il fera agrandir le château. L'ordre de la Jarretière, qu'il créera, verra le jour dans la salle de bal. De grands moments de l'Histoire anglaise et britannique se dérouleront à cet endroit au fil des siècles. La Magna Carta, ancêtre du système parlementaire, sera signée par le roi Jean sans Terre, à la suite du soulèvement des barons du pays. Lorsque le château deviendra une véritable résidence royale, une chapelle sera érigée sous le règne d'Édouard IV. Même la célèbre reine Élisabeth Ire vivra au château pendant plusieurs années, lesquelles seront mouvementées. Durant la prise du pouvoir par les révolutionnaires d'Oliver Cromwell au milieu du XVIIe siècle, l'édifice deviendra le siège de ces insurgés. Charles Ier, assassiné par ses ennemis, sera enterré aux côtés d'Henri VIII et de Jeanne Seymour. Forteresse sécuritaire, le château de Windsor fera partie du règne de la plupart des monarques du royaume.

༄

Le prince Albert s'émerveilla devant la beauté du château de Windsor. Jamais, selon ses dires, il n'avait vu un tel endroit avant aujourd'hui. Pour lui, l'architecture des bâtiments était quelque chose de splendide et de riche, un joyau.

« Victoria, quelle chance vous avez de pouvoir vivre dans ce coin de paradis », dit-il à sa cousine en traversant les grilles de la muraille ceinturant les édifices centraux.

Dès que le carrosse s'arrêta devant les portes principales, l'homme précédé de la reine jeta son regard dans toutes les directions. Il ne savait plus où donner de la tête tellement l'endroit regorgeait de détails. Témoin de la réaction d'Albert, Victoria s'amusa de le voir ainsi ébahi.

« Je suis heureuse que les lieux vous enchantent », s'exclama-t-elle en pénétrant dans le hall de la demeure royale.

Tant de splendeurs s'offraient aux yeux du prince. Des toiles, des sculptures en marbre, des boiseries découpées et une panoplie d'objets de grande valeur. À n'en pas douter, l'homme ignorait qu'il allait admirer une telle richesse.

Étant maintenant seuls, la souveraine et son cousin apprirent à se connaître davantage. Mais l'intérêt de Victoria à l'endroit du prince commençait à déranger la baronne Lehzen. Celle-ci s'était vu refuser la permission de se rendre au château. À la demande de sa maîtresse, elle dut demeurer au palais de Buckingham. Un sentiment de jalousie prenait naissance dans le cœur de la secrétaire particulière. C'était la première fois, depuis la naissance de la reine, qu'elle était séparée aussi longtemps de sa protégée.

Alors qu'une douce pluie fine venait de cesser, le prince accompagna sa cousine sur les parterres fleuris. La superficie du terrain était beaucoup plus grande que celle de la résidence londonienne. Situé dans un village peu peuplé, l'endroit était d'un calme exquis. Seuls les chants des oiseaux égayaient la promenade des deux jeunes nobles. Vêtue d'une robe mauve et couverte d'un chapeau pour se protéger des rayons du soleil, la souveraine tenait l'avant-bras du prince. Ce dernier avançait à petits pas pour lui permettre de suivre la cadence à ses côtés.

« Comment envisagez-vous votre avenir ? » demanda-t-il d'une voix douce.

« Je ne sais pas ! Pourquoi me posez-vous cette question ? » répondit-elle en déposant sa tête sur l'épaule d'Albert.

« Parce que votre avenir m'intéresse », dit-il.

« Vraiment ? Sachez que la vie d'une reine n'est pas des plus réjouissantes », précisa la souveraine.

Tout en discutant, ils se dirigèrent vers une fontaine d'où jaillissait de l'eau claire. Un petit vent soufflait dans le cou des promeneurs. Albert enleva ses gants en cuir afin de puiser de l'eau dans le creux de ses mains. Il s'en aspergea le visage pour se rafraîchir un peu. Dans sa tête, des phrases se bousculaient dans tous les sens. Il était nerveux d'ouvrir la bouche, car il avait peur de buter sur les mots.

« Victoria, je dois vous dire quelque chose… Mais je vous demande de me jurer que mes paroles ne nuiront pas à notre bonne relation », déclara-t-il en remettant ses gants.

« Dites, mon cousin ! »

« Ma douce, dès que mes yeux se sont posés sur vous, ils n'ont cessé de vous admirer. Lorsque j'ouvre mes paupières, je vous vois, et lorsque je les ferme, je vous cherche. Peut-être me considérez-vous uniquement comme votre cousin, mais je dois admettre qu'il en est autrement pour moi. Je vous aime, Votre Majesté », avoua le prince, les yeux remplis de larmes.

« Albert, vous me rejoignez dans mes sentiments », dit la reine, les lèvres tremblantes tant l'émotion la bouleversait.

Encouragé par les propos de sa cousine, le noble déposa délicatement un genou sur la terre encore fraîche. Il leva les yeux vers Victoria et lui prit la main droite.

« Accepteriez-vous de m'épouser ? Je sais que le privilège ne me revient nullement, mais mon cœur souffre de ne pas vous aimer au grand jour », déclara-t-il avec sincérité.

« En vérité, j'attends ce jour depuis un moment déjà », dit la reine en guise de réponse.

Les deux jeunes amoureux s'embrassèrent tendrement. Ils venaient de s'avouer leurs sentiments et rien ne pouvait les arrêter. Certes, la reine avait longtemps rejeté l'idée de se marier, mais c'était bien avant de tomber sous le charme de son cousin. Ils étaient âgés de vingt ans et ne voulaient plus vivre leur existence l'un sans l'autre. Albert enlaça sa bien-aimée et se jura de la chérir jusqu'à son dernier souffle. Collée tout contre son fiancé, la souveraine aspirait à des jours heureux.

Trois jours passèrent avant que les deux jeunes gens n'annoncent leur intention à leurs proches. Tous étaient ravis de la nouvelle, même la duchesse de Kent, qui fut informée par un messager de la Cour royale. Écartée du palais de Buckingham par sa fille, elle ne put recevoir cette annonce de la bouche même de la principale concernée.

« Pourquoi se lier avec ce Saxe-Cobourg-Gotha ? » avait lancé Sir John Conroy en apprenant le mariage de Victoria par la duchesse.

Il était furieux de la présence du prince autour de la reine, car il avait toujours espéré que la reine pardonnerait à sa mère. Si cela s'était produit, il aurait manipulé de nouveau sa complice pour arriver à ses fins. Le mariage royal symbolisait la fin de ses ambitions personnelles. Curieusement, l'annonce de l'alliance entre Albert et Victoria eut le même effet négatif sur le premier ministre. Ce dernier appréhendait cette union puisqu'elle servait d'obstacle à sa relation étroite avec la plus puissante femme du royaume.

« L'arrivée d'un rival masculin dans l'entourage de Sa Majesté n'est pas bon signe pour mon avenir », avait-il avoué à l'un de ses plus proches ministres.

Malgré tout, Lord Melbourne fit semblant de se réjouir des fiançailles de la reine avec son cousin. Il était plus prudent de garder une saine harmonie entre le chef du gouvernement et le monarque régnant.

Pour fêter l'événement, un bal sans précédent fut organisé au château de Windsor au milieu de l'été. Le Parlement, satisfait de voir leur maîtresse s'unir à un homme de bonne famille, vota un montant imposant pour financer les festivités. La responsabilité de la soirée fut accordée à la baronne Lehzen. Était-ce pour se faire pardonner de la délaisser que la souveraine lui confia cette charge importante ? Quoi qu'il en soit, la confidente remplirait sa tâche avec brio comme elle l'avait toujours fait. Pour l'occasion, des musiciens italiens furent invités pour divertir les convives. Pleine de bonheur, Victoria accepta même d'autoriser sa mère à figurer dans la liste des privilégiés. En vérité, la duchesse de Kent n'avait aucune réticence à l'égard de ce mariage. Après tout, Albert était le fils de l'un de ses frères. Le fait d'avoir été bannie lui avait fait comprendre les erreurs qu'elle avait commises envers sa progéniture. Malheureusement, elle demeurait sous l'influence néfaste de Sir Conroy.

Les premiers invités à se présenter furent le lord-maire de Londres et son épouse. Par la suite, un défilé de berlines s'arrêta à tour de rôle devant l'entrée de la prestigieuse résidence. Pas moins d'une centaine d'aristocrates et de personnalités s'entassèrent dans la salle de bal. La baronne avait fait décorer le plafond de l'immense pièce de rubans multicolores. Cinq chandeliers flamboyants éclairaient les nombreux invités. Des banderoles de fleurs bleues et blanches étaient accrochées aux murs. Rien n'avait été laissé au hasard. Louise s'était occupée des moindres détails pour satisfaire sa maîtresse. Des domestiques se faufilaient parmi les convives pour leur servir des petits plats plus délicieux les uns que les autres.

« Votre Majesté, que vous êtes particulièrement resplendissante ce soir », déclara William Lamb en s'approchant de la reine pour la saluer.

« Lord Melbourne, je suis très enthousiasmée de vous voir à ce bal », répondit la souveraine en lui tendant la main pour qu'il y dépose un léger baiser.

L'homme, après lui avoir démontré son signe de respect, baissa légèrement la tête devant le prince germanique. Ce dernier, en un seul regard, comprit qu'il ne serait jamais ami avec ce politicien.

« Je vous présente Son Altesse sérénissime, le prince de Saxe-Cobourg-Gotha », dit Victoria en constatant le froid qui s'était déjà installé entre les deux hommes.

« Madame semble avoir choisi un homme de grandes qualités pour partager ses responsabilités », s'exclama le parlementaire pour intimider son rival.

« Je serai l'époux de Sa Majesté et non son maître. Si la reine souhaite mon aide dans ses tâches, je l'accompagnerai avec joie », répliqua Albert sans perdre de sa dignité.

Après ce court échange, le chef du gouvernement rejoignit les autres convives. Il savait désormais que le prince n'allait pas lui faciliter la vie. Mais que pouvait-il faire pour l'en empêcher ? Pour l'instant, Lord Melbourne se contenterait de sourire comme si de rien n'était.

« Ma tante ! » dit Albert en apercevant la duchesse de Kent arriver parmi les retardataires.

L'année précédente, elle s'était rendue en visite en Saxe pour revoir les membres de sa famille. Lors de son séjour, son neveu en avait profité pour discuter avec elle. Il connaissait la pénible situation qui existait entre elle et sa fille. Il n'avait entendu qu'une version de l'histoire, mais ne s'était jamais senti obligé de trancher en faveur de l'une ou de l'autre.

« Mon neveu ! » s'écria la mère de Victoria en lui tendant les bras.

Témoin de la scène, la souveraine n'apprécia guère cette mascarade en public. Elle appréhendait toute manigance de la part de celle qui avait gâché sa jeunesse.

« Albert, sachez que Sa Grâce Royale et moi n'entretenons que peu de relations. Donc je vous prie de ne pas m'obliger à lui adresser la parole », chuchota la jeune femme dans le creux de l'oreille de son fiancé.

« Soyez sans crainte, je ne ferai jamais rien qui pourrait vous irriter », dit-il à voix basse.

Il se dirigea vers sa tante afin de ne pas mettre la reine dans l'embarras. Cette dernière apprécia le geste de son amoureux. Albert embrassa la duchesse sur les deux joues et lui déposa également un baiser sur la main. L'invitée, non désirée par la souveraine, était heureuse de se sentir aimée par quelqu'un proche de sa fille. À défaut d'avoir un signe chaleureux de son enfant, elle pouvait au moins se satisfaire du futur époux.

Après avoir échangé quelques politesses avec la duchesse de Kent, le prince retourna auprès de Victoria. C'était le moment de commencer le bal et la tradition obligeait les fiancés à entamer la première danse. Encerclés par la centaine de regards, les deux jeunes gens prirent place au milieu de la salle. Le noble germanique entoura sa fiancée de ses bras et la guida sur le plancher de marbre italien. Sous la musique du petit orchestre, les amoureux virevoltèrent au rythme du son que crachèrent les instruments. Ils ne faisaient plus qu'un au cœur de l'assistance réunie exprès pour eux. Victoria avait même l'impression que ses pieds touchaient à peine le sol. Albert ne voyait plus que sa bien-aimée, oubliant même les invités. La danse sembla durer une éternité pour les futurs époux. Cachée derrière une colonne, la duchesse de Kent pleura de joie de voir le visage de sa progéniture aussi éblouissant. Elle remercia le Tout-Puissant d'offrir ce cadeau de la vie à la souveraine. La soirée se poursuivit jusqu'aux petites heures du matin. À la fin, il ne restait plus qu'une poignée de convives. Parmi eux, Lord Melbourne attendait avec impatience que sa maîtresse lui offre la dernière danse. Malheureusement, la reine resta auprès d'Albert. Le politicien gardera un goût amer de cet événement.

La Cour royale annonça officiellement la date du mariage : le 10 février 1840. À la publication de cette nouvelle, l'humeur du peuple changea radicalement. La « Crise de la chambre à coucher » s'estompa. Les sujets de Sa Majesté s'étaient réconciliés avec elle. Pour leur part, les membres du Parti tory se rallièrent à l'opinion publique. La souveraine, par cette union royale, avait regagné le cœur de la Grande-Bretagne. Les préparatifs s'étaient mis en branle dès que le palais de Buckingham eut confirmé la nouvelle. Tous voulaient participer d'une manière ou d'une autre à la réussite de l'événement historique.

Le jour tant attendu arriva. Ce matin-là, le sol était recouvert de neige. Malgré le froid hivernal, une douce chaleur se répandait sur la capitale tant le peuple était en extase. L'artère que devait emprunter le futur couple fourmillait de curieux venus d'aussi loin que de l'Écosse. Entre le palais St. James, où devait se tenir la cérémonie religieuse, et le Guildhall, on n'y voyait qu'une foule en liesse.

124

Vers dix heures, le carrosse transportant la reine et le prince quitta la cour intérieure du palais de Buckingham. Le véhicule se rendit jusqu'au palais St. James, situé non loin du château. Les deux jeunes gens pénétrèrent fébrilement dans la chapelle du palais. Pour l'occasion, Victoria avait décidé de porter une robe blanche ainsi qu'une discrète traîne de la même couleur. Le ton du vêtement deviendra par la suite très en vogue dans la haute société européenne lors des mariages. Orpheline de père, la souveraine sera accompagnée, jusqu'au centre de la pièce éclairée par les vitraux multicolores, par un membre inférieur de la famille royale. Seule une assistance d'une cinquantaine de privilégiés sera présente au palais St. James. Debout devant l'archevêque de Cantorbéry, Victoria et Albert écoutaient les paroles du religieux.

« Dieu a voulu réunir cet homme et cette femme par les liens sacrés du mariage. Ce que le Seigneur exige, nous devons le respecter », dit-il d'entrée de jeu sur un ton solennel.

Le cœur de la reine cognait fort dans sa poitrine tant elle était nerveuse. Ressentant l'émoi de sa bien-aimée, le prince lui prit doucement la main. Il la lui caressa avec le pouce pour apaiser son anxiété. Ce geste affectueux calma Victoria.

« Vous, Charles Albert de Saxe-Cobourg-Gotha, acceptez-vous d'aimer, de chérir et de protéger cette femme jusqu'à ce que la mort vous sépare ? » prononça l'Anglican en lisant son livre liturgique.

« Oui, je le veux ! » répondit le prince.

Le chef spirituel de l'Église d'Angleterre se tourna vers la reine et replongea son regard dans son livre sacré.

« Vous, Alexandrina Victoria de Hanovre, acceptez-vous d'aimer, de chérir et de protéger cet homme jusqu'à ce que la mort vous sépare ? »

« Oui, je le veux ! » dit la souveraine les yeux remplis d'eau.

Officiellement mariés, les deux jeunes gens s'embrassèrent devant les personnes rassemblées pour l'heureux événement. Tous applaudirent les époux et hurlèrent de joie tant l'émotion était palpable. La duchesse de Kent, invitée par sa fille à la demande d'Albert, éclata en sanglots tellement elle était submergée de bonheur.

La souveraine et son mari quittèrent le palais St. James à bord de leur berline dorée. Ils parcoururent le trajet établi par les organisateurs des festivités et se rendirent jusqu'à la résidence du lord-maire de Londres. Sur place, des activités avaient été prévues pour souligner cette journée mémorable. L'une d'elles permettait au peuple de voir leur reine et leur nouveau prince au balcon du Guildhall. Devant ses sujets et le gouvernement, Victoria conféra le titre de consort à son époux. Par cette titulature, il devenait le numéro deux de la Couronne royale. Albert devint Son Altesse Royale le prince consort de Grande-Bretagne et d'Irlande.

CHAPITRE IV
Les tentatives d'assassinat

Palais de Buckingham, 1840-1848

À LA suite du mariage royal, la reine et son époux parcoururent l'Angleterre, l'Écosse et le Pays de Galles. Victoria voulait profiter de l'enthousiasme de son peuple pour repartir sur des bases solides. Les premiers mois de la dernière année avaient bouleversé le royaume, en particulier la monarchie. Autrefois admirée par ses sujets, la royauté avait perdu de son lustre depuis la maladresse de la souveraine à l'égard du Parti tory. Son inexpérience, mais surtout son manque de neutralité dans ses prises de position en politique, lui avait enlevé du prestige de manière considérable. Son mariage avec un noble étranger lui permettait de faire oublier cette période difficile.

Lors de leur tournée aux quatre coins de la Grande-Bretagne, Victoria et Albert consommèrent leur union. Seuls dans leurs appartements au château de Balmoral, situé au nord-est d'Édimbourg, ils firent l'amour dans une parfaite harmonie. Elle ne s'était jamais dénudée devant un homme, et lui n'avait à aucun moment vu une femme dépouillée de ses vêtements. Allongés l'un à côté de l'autre dans le lit, ils se caressèrent mutuellement. Elle lui flatta les poils frisés du torse de ses doigts effilés. Albert glissa sa main sur les seins fermes de son épouse. Dehors, de gros flocons tombaient du ciel. Pour réchauffer les amoureux, un feu s'agitait lentement dans l'âtre du foyer.

« Victoria, voulez-vous me donner des enfants ? » demanda le prince, léchant un bout de l'oreille de sa bien-aimée.

« Oui, je veux une famille nombreuse où régnera un bonheur sans limite », répondit la nouvelle mariée en frissonnant.

Aux paroles de la souveraine, le noble déposa des dizaines de baisers partout sur son corps. La reine ressentit une excitation monter en elle. Malgré quelques maladresses attribuables à leur jeunesse, ils se débrouillèrent plutôt bien dans les caresses qu'ils s'échangèrent. Après quelques gestes tendres, la reine attendit avec frénésie que son époux accomplisse l'acte d'amour. Comme s'il avait deviné le désir de Victoria, Albert la pénétra. Couchée sous lui, la jeune femme ferma les paupières et s'abandonna.

« Êtes-vous prête, ma chérie ? »

Lorsque l'homme cessa sa respiration, elle comprit qu'il venait de la rendre femme. « Albert, je vous aime ! » dit la souveraine.

Ce dernier n'avait pas besoin de mots pour le lui dire, leur proximité physique lui avait confirmé qu'il n'avait de sentiments que pour elle. Pour certaines femmes, l'acte sexuel relevait de l'obligation maritale mais, pour Victoria, cela représentait le bonheur. Elle n'était pas de celles qui refuseraient d'accomplir ses devoirs conjugaux, bien au contraire.

Les jours suivants, les deux amoureux devinrent davantage à l'aise dans leur relation. Ils ne se gênèrent pas pour démontrer leurs sentiments devant le public. Le peuple apprenait à connaître l'homme derrière leur souveraine. La tournée royale avait l'objectif précis de renforcer l'image de la monarchie. Ils visitèrent les Écossais, les Gallois et revinrent en Angleterre vers le milieu du printemps.

« Majesté, je crois que vos sujets vous apprécient », avait déclaré le premier ministre lors de l'une de leurs audiences hebdomadaires.

« Leur amour est le bien le plus précieux que je possède », fut la réponse de la souveraine.

Tout semblait aller pour le mieux au sein de la Cour royale, en particulier pour la reine et le prince consort. La popularité de la souveraine allait en grandissant et cette dernière se sentait soutenue par son époux. L'amour entre les deux mariés était indéfectible. Albert, de manière discrète, essayait de conseiller Victoria en ce qui avait trait à ses responsabilités. Il ne portait pas la couronne, mais pouvait au moins en partager le fardeau avec sa bien-aimée.

Comme l'avait établi la puissante femme, le couple royal passa les vacances d'été loin du vacarme de la capitale. Les époux se rendirent au château de Windsor au début de juin 1840. La baronne Lehzen avait été invitée à les accompagner pendant leur séjour à la campagne. Après une tournée énergique, la reine devait se reposer afin de revenir en forme pour la rentrée parlementaire de l'automne.

Adorant les promenades dans les jardins, Victoria et Albert avaient pris l'habitude de marcher une heure par jour, la plupart du temps sans la compagnie de la secrétaire particulière. Louise, attristée d'avoir perdu son influence sur sa protégée, regrettait presque l'époque où elles vivaient au palais de Kensington. Sans son titre de souveraine, l'héritière devait compter sur la protection de sa gouvernante. Tout avait changé depuis son accession au trône. Aujourd'hui, la confidente n'était plus aussi indispensable que par les années passées.

« Mon chéri, croyez-vous que nous pourrions nous rendre en Irlande un jour ? » demanda Victoria en tenant la main de son époux.

« Ce serait une excellente initiative. Je ne connais pas cette île. On dit qu'elle cacherait d'innombrables légendes », répliqua en souriant le noble.

Victoria appréciait discuter avec son mari. Elle pouvait lui demander des conseils sur toutes les inquiétudes qui la rongeaient. Épuisée de leur longue balade, elle proposa au prince de s'asseoir sur la pelouse. En homme galant, Albert aida sa femme à prendre place sur l'herbe fraîche. Soudain, un malaise frappa la reine. Elle se tortilla tant la douleur lui était insupportable. Elle se retenait le ventre à deux mains.

« Victoria, que se passe-t-il ? » questionna l'époux en ne sachant trop comment réagir.

Aucun mot ne sortait de la bouche de la souveraine. Elle se concentrait sur sa respiration afin de diminuer la douleur qui l'affaiblissait. Sans perdre une seconde, Albert prit son épouse dans ses bras et la transporta jusqu'à leur chambre. En chemin, ils croisèrent la baronne. Inquiète, elle se précipita à son tour dans les appartements de sa maîtresse.

« Votre Majesté ! » s'écria Louise en franchissant les portes de la pièce où était allongée la reine.

« Baronne, allez de ce pas chercher le médecin », ordonna le prince en épongeant le visage de son épouse.

Aussitôt, la femme courut dans les interminables couloirs sombres de la résidence royale. L'homme de science résidait à l'autre bout du château de Windsor. Une passerelle, datant de l'époque médiévale, reliait le bâtiment principal aux ailes secondaires. Au bout de quelques minutes qui lui parurent interminables, elle arriva au logis du praticien et le supplia de se présenter d'urgence auprès de la souveraine. D'un bond, l'homme dans la quarantaine fit le trajet inverse avec la confidente. Il entra dans la chambre de la reine et exigea l'aide d'une servante. Il suggéra à Albert d'attendre à l'extérieur afin de lui permettre de remplir son devoir. Sans se faire prier, le prince s'exécuta. Pendant plus d'une trentaine de minutes, il tournoya sur lui-même dans l'antichambre. Il se rongeait les ongles tant l'inquiétude le gagnait.

« Votre Altesse Royale, Madame se porte mieux », annonça le praticien en ouvrant la porte séparant les deux pièces.

« Pourquoi Sa Majesté a-t-elle eu ce malaise ? » interrogea le noble germanique en s'approchant du médecin.

« Tout simplement parce qu'elle attend un enfant », répondit-il en esquissant un sourire au coin des lèvres.

La nouvelle fut accueillie à bras ouverts par le futur père. Rien au monde ne pouvait le rendre plus heureux que la venue de cet enfant. Les yeux pétillants, Albert rejoignit sa femme dans la chambre à coucher. Elle avait les paupières fermées, mais semblait si calme après cette violente douleur. Il se pencha au-dessus de Victoria et y colla sa bouche pour l'embrasser. Le bonheur s'était emparé de lui.

« Vous êtes la plus aimable des femmes de l'Empire », chuchota-t-il à sa douce moitié.

Pour le rétablissement de la souveraine, il décida de passer la nuit dans un autre lit. Elle pourrait ainsi reprendre des forces et lui, il pourrait se précipiter à son chevet en cas de besoin. En sortant, le prince referma lentement la porte derrière lui. Dans le couloir, Louise Lehzen attendait patiemment des nouvelles sur l'état de santé de sa maîtresse.

« Ne vous en faites pas, Sa Majesté va bien. Elle porte le futur héritier dans ses entrailles », s'exclama le prince en se dirigeant vers une fenêtre entrouverte de la pièce, en face de lui.

La baronne était soulagée de connaître la raison de ce malaise soudain. Elle remercia le Tout-Puissant d'avoir protégé Victoria.

La confidente retourna au rez-de-chaussée pour poursuivre ses obligations comme secrétaire parti-culière. Elle devait s'occuper de mille et un dossiers, dont celui des projets de lois que devait signer la reine. Pour sa part, Albert entreprit de se reposer dans le petit salon adjacent aux appartements privés de sa femme. Seul dans la pièce, il prit place dans un fauteuil rembourré. Sur une minuscule table en bois reposait un livre. Il le ramassa, lu le titre, *Orgueil et Préjugés*, et décida de l'ouvrir. Il fut intrigué dès qu'il en lut les premières phrases. Par contre, le nom de l'auteure lui était tout à fait inconnu. Le prince entama sa lecture puis s'endormi sur place tant l'angoisse l'avait exténué.

Le lendemain, vers six heures, Victoria se réveilla la première. Elle se frotta le ventre et se rappela la joyeuse nouvelle de la veille. La femme savait maintenant qu'un être prenait forme dans son corps. Elle remercia le Tout-Puissant de lui avoir accordé ce privilège. Les rayons du soleil essayaient de traverser les fentes des somptueux rideaux pour illuminer la chambre. La reine se leva et se dirigea vers l'une des fenêtres. D'un geste délicat, elle écarta l'épais tissu afin de laisser passer la lumière. Elle vit par la fenêtre ses dames de compagnie faire une promenade dans les jardins. Ses suivantes, tout comme elle, appréciaient les séjours au château de Windsor. La souveraine fit quelques pas vers un immense meuble en bois foncé et en ouvrit l'une des portes. Elle prit un vêtement pour mieux se recouvrir et sortit de sa chambre. Elle traversa l'anti-chambre et termina ses pas dans le petit salon. Le sourire aux lèvres, elle admira son époux accroupi dans le fauteuil.

« Mon doux mari, il s'est endormi dans cette position inconfortable », se dit-elle.

Elle avança sur la pointe des pieds pour ne pas réveiller le prince. Son regard se porta sur le livre coincé entre sa hanche et le bras sculpté de la chaise. Elle le retira sans geste brusque et le replaça sur la table basse. Albert semblait si bien dans son sommeil que Victoria n'eut pas le courage de le réveiller. Elle le regarda attentive-ment et aima ce qui se présentait à ses yeux. Pour elle, le père de son enfant était le plus bel homme que la Terre portât. Après ce court instant d'admi-ration, elle reprit le chemin de sa chambre pour se changer. En traversant l'antichambre, elle aperçut sa secrétaire particulière, debout, près du lit. Elle la rejoignit pour lui annoncer qu'un héritier vivait en elle.

« Baronne, connaissez-vous la nouvelle ? »

« Bien sûr, Votre Majesté ! » répondit la confidente en regardant le ventre de la reine.

« Je suis si comblée de tout ce qui m'arrive. Croyez-moi, rien ne pourrait perturber ce moment », s'exclama Victoria.

« Madame, je dois vous annoncer que Lord Melbourne vous attend dans le salon central. Il dit que c'est urgent », déclara Louise en aidant sa maîtresse à se changer.

« Que me vaut sa présence inattendue ce matin ? » murmura la puissante femme à elle-même.

Dès qu'elle fut en mesure de se présenter, Victoria descendit au rez-de-chaussée pour rencontrer le premier ministre. Elle ne l'avait pas vu depuis plus de deux semaines. L'été, les audiences hebdomadaires étaient suspendues, sauf en cas d'extrême urgence.

« Votre Majesté, quelle joie de vous voir ce matin », lança William Lamb lorsqu'il vit la reine franchir les portes de la pièce.

« Lord Melbourne, quelle surprise ! Que faites-vous à Windsor en ce début de journée si matinal ? » questionna la souveraine en laissant le politicien déposer un léger baiser sur sa main.

« Madame, croyez-moi, si j'avais pu faire autrement, je serais resté dans la capitale. La situation est plutôt alarmante en ce qui concerne la duchesse de Kent », dit-il en guise d'explication de sa présence au palais.

« Qu'a-t-elle encore fait, cette chère mère ? » déclara Victoria en fronçant les sourcils.

« Depuis plusieurs mois, j'essaie de vous épargner cette discussion, mais là, cela m'est impossible. Le Parlement m'a chargé de vous dire que Sa Grâce Royale dépense beaucoup trop. La duchesse a largement dépassé ce qui lui était attribué. Je vous dirais même que Madame votre mère croule sous les dettes », annonça le chef du gouvernement en prenant soin de ne pas offusquer sa maîtresse.

« Quoi ? Pourtant, Sir Conroy gère ses biens… Non ?, répondit la reine non sans vraiment être étonnée des propos de son interlocuteur. De combien parle-t-on ? » demanda-t-elle en regardant le premier ministre.

« De plusieurs milliers de couronnes d'or. »

« Je l'ai chassée de la Cour royale et voilà qu'elle me crée encore des ennuis. C'est inacceptable que je doive me rendre au palais de Kensington », déclara Victoria en secouant la tête de gauche à droite.

Chaque année, les deux chambres du Parlement votaient un budget pour les dépenses des membres de la famille royale. Les trois quarts de l'argent étaient versés au service de la souveraine. Le restant servait à subvenir aux besoins des autres dignités de la Maison de Hanovre. Malheureusement, depuis un long moment, la duchesse de Kent avait dépassé la limite qui lui était attribuée. Pour satisfaire les caprices de cette dernière, Lord Melbourne avait pris sur lui la responsabilité d'hausser les sommes. Il espérait que la situation reviendrait à la normale, mais rien ne se passa comme le politicien l'avait envisagé.

« Bien, je me rendrai cet après-midi à Londres pour régler cette affaire », proposa la souveraine en espérant que sa mère comprendrait le message.

« Je suis désolé pour cette fâcheuse information... Je n'avais d'autre choix que de vous en glisser un mot », dit l'homme en s'excusant.

« Ne soyez pas dans un tel état. Vous avez fait de votre mieux, mais rien n'est suffisant pour Sa Grâce Royale », dit Victoria pour rassurer le parlementaire.

Après avoir discuté de cette urgence avec Lord Melbourne, la reine lui annonça la naissance prochaine d'un héritier pour le trône royal. Elle était très enthousiasmée d'être enceinte. Lamb, en fin politicien, la félicita pour l'heureux événement. En vérité, il était nerveux à l'idée que le prince de Saxe-Cobourg-Gotha renforce son influence sur elle. Une heure plus tard, le premier ministre prit congé de la maîtresse des lieux pour reprendre le trajet vers Londres.

« Ma chérie ! » s'exclama Albert en entrant dans le salon central.

« Mon mari ! Le ciel nous protège, j'en suis persuadée », déclara la reine en sautant dans les bras de son époux.

Ils s'embrassèrent tendrement pendant de longues minutes. L'un et l'autre s'aimaient d'une féroce passion. La venue au monde d'un enfant ne faisait que renforcer la solidité de leur couple.

« Je vous aime, Albert ! »

« Je vous aime encore plus, Victoria ! »

Après des démonstrations d'affection, ils prirent le repas ensemble. Elle lui expliqua la raison de la présence du chef du gouvernement et lui annonça qu'elle devait se rendre dans la capitale. Le prince insista pour l'accompagner, mais elle refusa poliment. La souveraine voulait rencontrer sa mère en privé afin de lui exprimer son mécontentement. Pour rassurer son époux, elle l'informa que la baronne la suivrait jusqu'au palais de Kensington. Malgré son inquiétude, l'homme se résolut à accepter la décision de sa douce moitié.

Vers neuf heures, la reine et sa secrétaire particulière embarquèrent à bord d'une berline noire. Tiré par quatre chevaux, le véhicule prit la route de Londres. Pour la sécurité de la souveraine, une garde de huit hommes escorta le carrosse. Victoria arriva dans la capitale près de deux heures plus tard. Le cortège parvint sans trop de difficulté à la résidence de la duchesse de Kent. Les deux femmes entrèrent dans la demeure princière. Tant de souvenirs, tristes pour la plupart, revinrent dans la mémoire de Victoria. Les tapisseries, les meubles et même l'odeur lui rappelaient son enfance. Les lieux avaient été une véritable prison dorée. La souveraine se dirigea vers le salon principal du bâtiment.

« Sa Majesté souhaite s'entretenir avec Sa Grâce Royale », annonça Louise Lehzen en apercevant un valet passant près d'elles.

« Bien ! » répondit l'homme en uniforme rouge.

Entre-temps, Victoria prit place sur un canapé recouvert de tissu vert et rouge. La confidente demeura debout près d'une immense statue en marbre représentant la reine Élisabeth Ire. Soudain, Sir John Conroy pénétra dans la pièce. Il était suivi, quelques pas derrière, par la duchesse. À la vue du vautour, Victoria éprouva un profond dégoût. Elle prit une grande respiration pour se calmer.

« Votre Majesté, que nous sommes privilégiés de vous accueillir ici », s'exclama l'individu en s'approchant de la souveraine.

D'un mouvement leste, Victoria se redressa et fixa le regard du secrétaire particulier de sa mère. Autrefois intimidée par lui, elle était aujourd'hui en mesure de lui faire face.

« Vous ! Cessez vos belles paroles… Sachez que vous n'êtes pas le maître des lieux. Vous ne pouvez en aucun cas prétendre m'accueillir. Sortez ! Sortez ! » hurla Victoria en furie.

« Je vois que Sa Majesté n'est pas reconnaissante de mon dévouement envers sa personne », répliqua-t-il en baissant les yeux.

« Sir Conroy, je vous prie de vous retirer. Je veux parler avec ma fille en toute intimité. Mon ami, soyez raisonnable », l'interrompit la duchesse.

« Bien ! » dit l'individu en quittant la pièce en traînant les pieds.

« Baronne, veuillez nous laisser seules, je vous prie » déclara pour sa part la reine.

En tête-à-tête, la souveraine et sa mère amorcèrent une discussion plutôt froide. Il s'était écoulé plusieurs mois depuis leur dernière rencontre. Malgré tout, Victoria avait des responsabilités et devait les honorer.

« Madame, le premier ministre est venu me voir, ce matin, au château de Windsor. Sachez que j'ai été désagréablement surprise d'apprendre de la bouche même de Lord Melbourne que vous exagérez vos dépenses. Vous savez que les deux chambres du Parlement vous versent une somme considérable pour votre confort », dit la reine d'entrée de jeu.

« Ma chère fille, Sir Conroy dit… »

« Mère, cessez de mentionner le nom de ce monstre », s'écria la reine en levant les mains au ciel.

« Que voulez-vous, mon secrétaire particulier m'est indispensable », se risqua à dire la duchesse.

« Très bien ! Vous ne me donnez pas d'autre alternative. Vous devrez soit demeurer avec Sir John Conroy et quitter le palais de Kensington et ne plus recevoir d'argent du Parlement, soit le chasser d'ici et promettre de ne plus le revoir de votre existence », lança en guise d'ultimatum la plus puissante femme de Grande-Bretagne.

Abasourdie par les conditions présentées par sa fille, la duchesse de Kent éclata en sanglots. Elle était acculée au mur et ne savait que faire. Elle avait besoin de l'aide financière du Parlement pour subvenir à ses besoins personnels, mais ne pouvait se départir de son fidèle allié. Que ferait-elle pour s'en sortir dignement ?

« Votre Majesté, pourquoi êtes-vous si dure envers votre mère ? »

« Mère, vous connaissez la réponse ! » répondit Victoria sans broncher.

Il s'agissait probablement du choix le plus difficile de toute sa vie. La duchesse devait penser à son avenir, et non à celui de son secrétaire particulier. Elle ferma les yeux un moment et versa une larme. Non, elle ne serait pas chassée de sa résidence par la Cour royale.

« Madame, j'accepte votre offre. Je retire dès maintenant toute ma confiance en Sir John Conroy », déclara la mère en regardant sa fille dans les yeux.

La reine, bouleversée par le choix de la duchesse, accepta la décision. En pénétrant au palais de Kensington, elle était persuadée que sa mère choisirait le vautour. Elle s'était trompée, cette dernière venait de rejeter le sinistre individu.

« Votre Grâce Royale, vous gagnez mon respect en agissant de la sorte. Soyez assurée que mon époux se joint à moi pour vous remercier d'avoir épargné un bébé de ne pas connaître sa grand-mère », dit-elle en souriant.

« Quoi ? » s'exclama la duchesse en entendant les propos de sa fille.

« Vous avez très bien compris ! Son Altesse Royale et moi attendons un enfant. »

Une joie immense s'empara de la femme à l'annonce de cette grande nouvelle. Elle allait devenir la grand-mère de l'héritier du trône royal. Les yeux remplis de bonheur, elle embrassa sa fille sur les pommettes.

« Vous faites de moi l'aïeule la plus comblée du royaume. »

Pour la première fois de sa vie, Victoria se sentait bien en présence de sa mère. Était-ce le début d'une nouvelle relation familiale ?

La reine et la baronne reprirent leur route pour la campagne en fin d'après-midi. Elles espéraient revenir au château de Windsor avant l'obscurité. Le cœur léger, la souveraine était satisfaite de sa journée. Elle avait éloigné Sir John Conroy de sa mère, s'était réconciliée avec la duchesse de Kent et avait réglé la situation financière de la femme. *Tout va pour le mieux*, pensa-t-elle.

Le carrosse s'apprêtait à sortir d'une rue lorsqu'un coup de fusil résonna dans l'air. Affolés par le bruit, les chevaux s'agitèrent dans tous les sens. Les gardes essayèrent de les calmer, mais en vain. Soudain, Louise Lehzen tomba à la renverse sur le plancher du véhicule, qui avançait toujours. Assise à côté de sa confidente, Victoria aperçut par le châssis le visage d'un homme armé d'un pistolet. Il la visait et se préparait à appuyer sur la gâchette. La souveraine, dans un geste d'instinct, se jeta sur le corps inerte de la baronne. Un deuxième coup de feu se fit entendre tout près de la berline noire. Deux gardiens plaquèrent l'agresseur sur le sol poussiéreux. Ils le frappèrent au visage et lui arrachèrent son arme. Autour, des témoins crièrent de frayeur devant l'épouvantable scène. Victoria, ébranlée par la situation, tremblait de tout son être.

« Baronne ! » s'écria-t-elle en constatant le sang qui coulait de la tête de sa confidente.

Louise Lehzen ne bougeait pas et ne semblait pas respirer. Les mains tachées du liquide rougeâtre, la

souveraine essaya de retourner le corps de sa secrétaire particulière. Trois gardes pénétrèrent dans la
berline et en sortirent leur maîtresse. Entre-temps,
l'agresseur fut transporté dans un endroit loin de la
souveraine. Debout devant le carrosse, Victoria
regarda les hommes soulever la dépouille de la
baronne. Cette dernière avait perdu la vie à sa place.
Blême de colère, la reine exigea la pendaison de
l'individu pour avoir tué son amie.

✄

Edward Oxford, un jeune anglais de dix-huit ans,
avait voulu assassiner la reine pour des raisons
inconnues. Il refusa de dévoiler les motifs de son
geste, qui avait coûté la vie à Louise Lehzen. À la
demande du premier ministre, il fut reconnu
coupable de haute trahison envers la souveraine.
Après des mois d'incarcération, il fut condamné
par un juge d'un tribunal londonien à la prison à
perpétuité. Il ne fut pas pendu comme l'avait
demandé Victoria, car il fut considéré comme fou.
Après cette tentative d'assassinat, un fort sentiment
de patriotisme gagna le royaume. D'après les
rumeurs qui circulaient dans les salons d'aristocrates, le roi Ernest-Auguste Ier de Hanovre serait
le commanditaire de l'agression armée. Figurant
sur la liste des héritiers possibles du trône britannique, il aspirait à porter la couronne royale. En
vérité, aucune preuve n'incriminait directement le
monarque germanique.

✄

Les jours suivants, la puissante femme s'enferma dans ses appartements privés, au château de Windsor. Seul Albert avait l'autorisation d'approcher son épouse. Après un examen médical, le couple royal fut rassuré de savoir que la grossesse n'avait pas été affectée par les événements dramatiques. Trop bouleversée par la mort de Louise, Victoria n'assista pas aux obsèques de son amie. Les funérailles de la secrétaire particulière se déroulèrent à la chapelle Saint-Georges. Tous les frais furent payés à même le budget personnel de la reine. Le corps de Louise Lehzen fut enterré, non pas auprès de sa maîtresse, mais dans son pays natal.

« Mon chéri, pourquoi cet homme voulait-il me tuer ? » questionna Victoria, accroupie sur une chaise en bois de la salle à manger.

« Nous ne connaîtrons probablement jamais la réponse… Mais soyez sans crainte, il restera loin de vous pour toujours », dit le prince pour remonter le moral de son épouse.

Victoria et Albert retournèrent au palais de Buckingham à la fin d'août 1840. La grossesse obligea la reine à ralentir ses activités en public. Elle limita le plus possible ses prérogatives royales. Pour l'aider, la duchesse de Kent lui proposa de lui rendre visite deux ou trois fois par semaine. La souveraine accepta l'offre de sa mère et profita de cette présence pour se rapprocher d'elle. Avec le temps, une certaine complicité s'installa entre elles, au grand bonheur d'Albert. Ce dernier appréciait sa tante et était ravi de voir l'harmonie régner au sein de la famille royale.

Le 21 novembre, en fin de soirée, Victoria – entourée de son époux et de sa mère – commença à avoir des contractions. Une armée de médecins fourmillait dans la chambre à coucher. Tous avaient la responsabilité de faciliter la naissance du bébé. Après des heures interminables de travail, un poupon sortit du corps fatigué de la souveraine. À la vue de l'enfant, le prince fut ému tant il était heureux et fier d'être père. Tout près, la duchesse de Kent s'émerveilla de voir la famille royale s'agrandir. Bientôt, la nouvelle circula aux quatre coins de la Grande-Bretagne. La reine venait de mettre au monde une jolie petite fille. Des félicitations arrivèrent de partout. Les chefs des gouvernements des colonies de l'Empire, le premier ministre britannique et les souveraines d'Europe se réjouissaient de la naissance de la princesse.

Le baptême de l'enfant eut lieu un mois plus tard, à la chapelle Saint-Georges du château de Windsor. Les parents avaient décidé de nommer la fillette en l'honneur de la duchesse de Kent. Une troisième Victoria entra dans la famille royale. Et une nouvelle dynastie fut fondée dans le royaume. En effet, les lois exigeaient que les enfants prennent le nom de leur père, et cela valait aussi pour la plus puissante femme d'Angleterre. La Maison de Saxe-Cobourg-Gotha, déjà établie en terre germanique, débuta une nouvelle lignée au sein de la monarchie britannique. Une ère rafraîchissante soufflait sur l'île et tous les sujets manifestaient leur loyauté envers la reine. Victoria accumulait les titres, mais le plus important à ses yeux était celui de mère.

Après des vacances au château de Balmoral, en Écosse, le couple royal et leur fille revinrent dans la capitale. L'année 1841 commença par un événement majeur sur le plan politique. Ayant perdu les élections générales, Lord Melbourne se retrouva à l'opposition officielle au Parlement. Mais contrairement à 1839, la souveraine – habilement conseillée par le prince Albert – décida de ne pas refuser le nouveau premier ministre désigné. La « Crise de la chambre à coucher » était loin derrière elle et la reine ne souhaitait en aucun cas revivre cet épisode chaotique de son règne. Victoria confirma donc Sir Robert Peel comme chef du gouvernement. Elle poursuivra un certain temps une correspondance avec William Lamb, mais y mettra définitivement un terme vers la fin de la même année.

Près d'un an après la naissance de la jeune Victoria, soit le 9 novembre, un deuxième enfant s'ajoutera à la famille royale. Cette fois-ci, le bébé sera de sexe masculin. Il recevra le même prénom que son père, soit Albert. La famille royale comptait maintenant deux héritiers, le premier étant le fils en vertu de la tradition séculière du royaume. Tout comme sa jeune sœur, le garçon sera de bonne santé physique et mentale. Il recevra une éducation particulière, étant l'héritier principal de la Couronne royale. Très tôt, l'enfant devra apprendre les rudiments de sa position au sein de la hiérarchie britannique. Pour s'assurer d'une continuité sur le trône, le petit prince ne voyagera jamais avec la reine. Si un malheur devait survenir à la puissante femme, la Grande-Bretagne ne pourrait sombrer dans une incertitude politique. Le fils deviendrait le souverain, et son père, le régent légal de la royauté au sein du royaume et de l'Empire tout entier. Contrairement à sa mère, l'héritier ne vivait pas entre les griffes d'un vautour avare de pouvoir personnel.

Malgré l'affection de ses sujets, deux autres tentatives d'assassinat seront perpétrées contre Victoria en 1842. Il s'agissait de cas isolés, mais tout de même inquiétants, aux yeux du prince consort. Le premier eut lieu quelques jours après l'anniversaire des vingt-trois ans de la reine. Alors qu'elle se promenait en carrosse avec son époux dans un parc de Londres, la souveraine sera visée par un tireur cherchant une certaine notoriété. Heureusement, la balle n'atteindra pas la cible. L'agresseur, John Francis, sera condamné à la prison à vie, sans possibilité d'appel. Un mois et demi plus tard, Victoria sera l'objet d'un deuxième attentat. Un ancien soldat de l'Armée royale, John William Bean, tirera un coup de fusil en sa direction. L'homme n'avait nullement l'intention de la tuer ni même de la blesser. À preuve, il avait chargé son arme uniquement de tabac et de bouts de papier. Malgré tout, il sera également emprisonné sous haute surveillance. Par chance, ni la principale concernée ni son entourage ne furent affectés par ces tragiques moments. Face à ces tentatives de meurtre à répétition, Albert intervint auprès du premier ministre. Il exigea l'adoption d'une loi pour protéger son épouse et les autres membres de la famille royale. Les parlementaires votèrent cette loi qui condamnait à une peine d'emprisonnement de sept ans ou à la flagellation tout agresseur voulant attenter à la vie de Son Altesse Royale. À partir de ce moment, la calme revint dans l'existence de la reine.

Entre 1843 et 1846, la reine accouchera de trois autres enfants. La princesse Alice naquit le 25 avril 1843, le prince Alfred, le 6 août 1844, et la princesse Helena, le lendemain de la fête de sa mère, le 25 mai 1846. La dynastie britannique était l'une des plus puissantes de l'Europe et son avenir était garanti par de nombreux successeurs potentiels. Occupée par ses responsabilités royales, la reine recevait l'aide régulière de sa mère. À vrai dire, la duchesse jouait un rôle essentiel dans l'éducation des enfants de la Maison de Saxe-Cobourg-Gotha. L'avenir de la monarchie était prometteur et l'influence de Victoria prenait de l'expansion, tant en Grande-Bretagne que dans les colonies de l'Empire. Le premier ministre parlait même de l'époque victorienne. La popularité grandissante de la souveraine avait également atteint les côtes de l'île d'Irlande. Pourtant, les habitants de ce coin de l'Empire étaient plutôt récalcitrants face à la domination de Londres. La reine allait-elle réussir à gagner le cœur de ses sujets irlandais ?

CHAPITRE V
Ma chère Irlande

Île d'Irlande, 1848-1849

À LA fin de l'hiver 1848, Victoria donna naissance à son sixième enfant. Il s'agissait de la quatrième fille du couple royal. Étant donné sa grossesse avancée, la reine s'était retirée quelques semaines au château de Windsor. Elle préférait se reposer loin de l'agitation de la capitale. Le prince et le reste de la famille royale l'accompagnaient également. De sa résidence médiévale, elle continuait à bien remplir ses devoirs envers la Grande-Bretagne. Malgré son éloignement du centre des décisions, elle continuait de rencontrer son premier ministre en audiences hebdomadaires comme l'exigeait la tradition. Le politicien se rendait auprès de sa maîtresse pour l'informer des dossiers parlementaires importants et pour lui faire signer des documents officiels.

Avec la récente venue au monde de la princesse Louise, la reine était davantage préoccupée par son rôle de mère. Son mari et elle se faisaient une obligation de faire la lecture à leur progéniture chaque soir avant de les border. Les enfants aimaient particulièrement *Les contes de Cantorbéry*, un recueil de récits médiévaux. Pour leur faire plaisir et pour animer l'histoire, le prince consort imitait les voix des divers personnages. Victoria profitait de ces moments en famille pour mettre de côté ses tracas quotidiens. Par contre, le lendemain matin, elle reprenait sa fonction à titre de représentante de l'autorité royale.

Depuis le meurtre de Louise Lehzen, Victoria s'était refusé à nommer une remplaçante. La disparition de la baronne l'avait bouleversée profondément, et avoir une autre secrétaire particulière ne lui disait rien qui vaille. Pour soulager son épouse, Albert proposa d'assumer les fonctions de la défunte. En vérité, il se plaisait à occuper ce type de responsabilités auprès de sa puissante femme. Le titre de prince consort n'était pas des plus stimulants à ses yeux. Aucun autre homme que lui n'avait porté cette titulature. D'un accord tacite, les deux amoureux définirent leur champ de compétences. Victoria régnait sur le royaume ainsi que sur l'Empire, et Albert gérait les affaires familiales. Chacun semblait se plaire dans ses charges respectives.

« Madame, le premier ministre est arrivé ! » annonça l'un des valets du palais de Buckingham.

« Bien ! Faites-le entrer », ordonna la reine en prenant son thé.

Lord John Russell, un vieil homme aveugle de l'œil gauche, se présenta dans le salon privé de la reine. À la tête du gouvernement depuis deux ans, il entretenait une relation cordiale avec elle. Plus âgé que la souveraine, le politicien se faisait un devoir de l'aider à comprendre les rouages complexes de la politique. Même si Victoria régnait sur son royaume et son empire depuis dix ans, et malgré son expérience depuis son accession au trône, elle ne maîtrisait pas encore toutes les sphères de ses responsabilités. Pour l'appuyer, elle pouvait compter sur la présence indéfectible de son époux.

« Monsieur le premier ministre ! » déclara la souveraine en apercevant le parlementaire.

« Votre Majesté, quel honneur de vous voir aujourd'hui », lança le chef du Parti whig en courbant son dos fatigué.

« Que me vaut votre visite ? » dit Victoria en désignant un fauteuil non loin d'elle.

« Madame, je suis ici pour vous parler au nom de votre gouvernement. Comme vous le savez, nos relations avec l'Irlande n'ont jamais été excellentes. La Grande famine d'il y a deux ans a considérablement envenimé les seuls liens qui nous restaient. Des mouvements révolutionnaires, partout sur l'île, tentent de nuire à notre administration. Votre Majesté doit intervenir pour rétablir une paix sur cette terre hostile à Londres », précisa Lord Russell en essayant de se faire comprendre de sa souveraine.

« Je saisis très bien la situation, mais comment pourrais-je freiner ces factions ? » demanda Victoria.

« En vous rendant sur les lieux. »

154

« Vous n'y pensez pas ! Lors de ce désastre, j'ai versé une somme colossale de mon budget personnel pour relancer l'économie de l'île. Pourtant, les Irlandais n'ont pas cessé de me mépriser depuis », répliqua la reine, abasourdie par les propos du politicien.

« Nous avons pensé mandater Lord Clarendon pour organiser votre visite officielle en Irlande. Il est apprécié du peuple, est un fidèle sujet de la Couronne royale et connaît les aristocrates du pays. Il est l'homme idéal pour accueillir la souveraine dans la capitale », ajouta le chef du gouvernement.

« Effectivement, je n'ai que de bons mots pour le gouverneur de l'île. Il pourrait peut-être redorer mon image là-bas… D'accord, j'accepte votre proposition », s'exclama Victoria en souriant au parlementaire.

∂

En 1845, l'Irlande, île voisine de la Grande-Bretagne, fut victime d'un virus virulent. Un champignon apporté du continent se propagea à une vitesse inouïe. Il ravagea presque la totalité de la surface cultivable de l'île. Les récoltes de pommes de terre et de nombreux autres végétaux furent détruites. Bientôt, tous les champs destinés à nourrir le peuple affamé devinrent inutilisables. Des dizaines de milliers d'Irlandais – hommes, femmes et enfants – perdront la vie durant ce terrible fléau. Plus d'un million d'habitants fuiront leur terre pour s'établir – souvent dans des conditions précaires –

dans d'autres pays, comme les États-Unis ou les colonies britanniques. L'Irlande se dépeupla petit à petit et rien ne semblait régler cette dramatique situation.

☙

Pendant plusieurs mois, une équipe entoura Lord Clarendon en vue de la préparation de la visite royale. Il avait été prévu que Victoria se rendrait sur l'île vers le milieu du printemps 1849. Entre-temps, la puissante femme se faisait un devoir d'apprendre la langue celte. À ses yeux, il était important de communiquer avec les mots du peuple pour bien se faire comprendre de lui. Même Albert passait des soirées entières à lire des documents sur l'histoire et la société irlandaises. Le couple royal voyait en ce voyage officiel une occasion de renforcer la loyauté des habitants envers la monarchie. En calmant l'humeur des Irlandais, la souveraine était persuadée de gagner des points dans l'opinion publique, tant en Grande-Bretagne que dans le reste de l'Empire.

Au début d'avril 1849, la reine et le prince consort se rendirent à Caernarfon, au Pays de Galles, pour naviguer vers Dublin, la capitale irlandaise. Pour la sécurité de leurs enfants, il avait été décidé qu'ils resteraient au palais de Buckingham, en compagnie de la duchesse de Kent, pendant l'absence de leurs parents. Le couple royal quitta donc l'Angleterre à bord d'un bateau. Cette traversée était le premier voyage en mer que les mariés faisaient ensemble. Le moment était magique pour les amoureux.

« Albert, si mon destin n'avait pas été tracé d'avance, j'aurais adoré parcourir les océans à la recherche de terres inconnues. Croyez-vous que les hommes ont découvert tous les recoins de la planète ? » demanda la reine en se retenant à l'un des poteaux de l'embarcation.

Le prince fixa la mer, cette interminable étendue d'eau, et essaya d'imaginer les endroits encore inexplorés. Tout comme sa bien-aimée, il avait lui aussi un côté aventurier très développé.

« Je suis persuadé que la Terre cache des centaines de lieux secrets… Peut-être qu'il en sera toujours ainsi », répondit le prince en entourant sa femme de ses bras protecteurs.

Le trajet avait débuté sous un soleil radieux et un léger vent bombait à peine les voiles. Le reflet de l'astre lumineux sur l'eau saline donnait l'impression que le bateau voguait sur un gigantesque miroir. La scène était des plus magnifiques, au dire du capitaine.

« Votre Majesté, il est rare que cette partie de la mer soit aussi calme. Normalement, de fortes vagues se brisent sur les flancs du *Golden Lady* », dit le navigateur en faisant allusion à son navire.

« Le Tout-Puissant doit veiller sur nous tous, alors… », lança la souveraine en levant la tête vers le ciel.

Deux heures plus tard, Victoria et son époux entrèrent dans leur cabine. Plus étroit que les pièces de leurs châteaux sur le continent, l'endroit était malgré tout confortable pour se reposer. Allongés sur leur lit, l'homme et la femme se blottirent l'un contre l'autre pendant un long moment. Les vagues, de plus en plus persistantes, faisaient tanguer le bateau. Bercés par les flots, les deux amoureux sombrèrent dans un profond sommeil. D'habitude sur le qui-vive, ils pouvaient enfin se reposer loin des regards intimidants des curieux. La souveraine se sentait libre sur les eaux de la mer d'Irlande. Elle plongea dans un rêve peu commun pour une personne de son rang. Elle vivait sur une île déserte – là où des explorateurs comme James Cook avaient découvert plusieurs îles du Pacifique – avec son mari et leurs enfants. Loin de ses responsabilités royales, elle pouvait se consacrer entièrement à son rôle de mère. Évidemment, il ne s'agissait que d'un fantasme issu de son songe. En vérité, la souveraine ne pouvait se permettre de fuir son destin. Le rêve demeurait la seule échappatoire à sa condition.

Soudain, des cris stridents se firent entendre sur le bateau, qui tanguait de plus en plus. Ces hurlements réveillèrent Victoria tant le bruit était inhabituel. La femme ouvrit les paupières et se redressa à moitié. Quelque chose d'anormal se produisait autour d'elle. Elle secoua Albert pour le sortir du sommeil.

« Mon chéri, réveillez-vous ! » s'exclama-t-elle en bougeant le prince consort.

158

Ce dernier ne réagissait ni au vacarme ni aux secousses de son épouse. Victoria avança son visage près de celui d'Albert. Paniquée, elle remarqua une blessure sur le front de l'homme. Une minuscule tache de sang coulait vers les sourcils du noble. Intriguée, la reine s'interrogea sur l'origine de cette blessure, puis son regard se porta sur le boulon en acier roulant sur le plancher de la cabine. Elle chercha des yeux d'où pouvait provenir l'objet en question. Au même instant, elle reçut quelques gouttes d'eau salée au visage. La souveraine venait de trouver la source du problème. Les fortes vagues, à force de frapper continuellement les hublots, avaient fait sortir le boulon. En tombant, il avait heurté le front d'Albert. Victoria colla son oreille sur la bouche de son époux et fut soulagée de l'entendre respirer.

« Pardonnez-moi, mon bel amour, pour ce que je m'apprête à faire », chuchota-t-elle à l'homme inerte.

D'un coup solide, elle le frappa avec nervosité au visage. Ce qui eut l'heur de sortir le prince de son inconscience profonde.

« Que se passe-t-il ? » demanda le blessé en se frottant le front recouvert de sang.

« Je crois que le bateau est pris dans une tempête », déclara la souveraine en craignant le pire.

Le couple royal descendit du lit et avança tant bien que mal sur le plancher mouillé de leur cabine. Ce n'était vraisemblablement pas normal qu'il soit ainsi trempé. Il devait y avoir plus d'une fuite sur le navire. Victoria, derrière son mari, se dirigea vers la sortie. Albert déposa sa main sur la poignée de la porte et tenta de la tourner. Rien. Le mécanisme semblait défectueux. Était-ce à cause du craquement des murs ?

« Mon chéri, faites-nous sortir d'ici », s'écria la reine, effrayée par la situation.

« J'essaie ! Croyez-moi... »

Le prince essaya à nouveau et réussit enfin à ouvrir la porte. Il prit la main de sa bien-aimée et ils s'élancèrent à toute vitesse dans le couloir sombre. Les deux amoureux montèrent l'écoutille menant jusqu'au pont. Une scène quasi apocalyptique se déroulait sous leurs yeux. Des dizaines de marins s'agitaient sur le navire. Certains, armés de seaux, ramassaient l'eau qui ne cessait de s'accumuler, alors que d'autres retenaient les cordages des voiles. Un vent en furie arrachait tout sur son passage. La vie de l'équipage et celle de ses passagers royaux étaient en danger.

« Madame, retournez dans votre cabine », hurla une voix.

La reine regarda autour d'elle et reconnut le capitaine dans la tempête. L'individu retenait, de peine et de misère, le gouvernail du navire.

160

« Albert, que devons-nous faire ? » interrogea la femme en s'agrippant au bras de son époux.

« Priez ! » répondit-il en ne sachant trop ce qui leur arriverait.

Les passagers descendirent quelques marches de l'escalier qu'ils venaient de monter. À l'abri, ils espéraient atteindre l'île d'Irlande en un seul morceau. Pour l'instant, des vagues de plusieurs mètres de hauteur se fracassaient sur le bateau en bois.

La tempête dura plus de deux heures sans jamais faiblir. Lorsque la mer se calma, les hommes sur le navire crièrent de joie d'avoir survécu à un tel déversement d'eau. Pour leur part, Victoria et Albert remercièrent le capitaine d'avoir fait preuve de sang-froid durant ce moment qui aurait pu être dramatique. La souveraine était rassurée de voir finalement à l'horizon un bout de terre.

« Regardez ! Des oiseaux survolent nos têtes », dit-elle en souriant, heureuse d'avoir traversé cette mer agitée.

Le navire accosta au port de Dublin sans trop de difficulté. L'équipage se mit en deux rangs devant la souveraine. Le navigateur s'adressa à son importante passagère.

« Votre Majesté, le *Golden Lady* a bravé la tempête et vous a transportée jusqu'à votre destination. Malgré les conditions dangereuses, Madame et

Son Altesse Royale peuvent fouler le sol irlandais », déclara l'homme à la longue barbe grise et au chapeau tricorne.

« Soyez assurés de toute ma gratitude pour votre dévouement et votre courage sans égal », répondit la reine en regardant les visages des membres de l'équipage.

La souveraine et le prince consort longèrent la haie formée par les marins. Ils prirent la direction du port animé et descendirent la rampe en bois. À quelques pas, Lord Clarendon attendait patiemment sa maîtresse. Le gouverneur de l'Irlande se doutait qu'une tempête avait frappé durement le navire. Rien qu'à voir le bateau, il était facile d'imaginer que la mer s'était déchaînée sur lui. Des mâts étaient fracassés, des toiles, déchirées, et des morceaux de la coque avaient disparu. À première vue, que le navire n'ait pas coulé au fond des eaux relevait presque du miracle.

« Votre Majesté, je vous souhaite la bienvenue sur l'île d'Irlande », annonça en guise d'introduction George Villiers.

« Rien n'est plus important à mes yeux que de rencontrer mes loyaux sujets », répondit solennellement la puissante femme.

Accompagné du politicien, le couple royal marcha jusqu'à la terre ferme. Sur place, une poignée de curieux les acclamait avec des cris de joie.

« Vive la reine ! »

Outre ces rares visages, le peuple semblait peu enclin à se réjouir de la venue de la souveraine. À vrai dire, les sujets de cette partie de l'Empire n'avaient aucune sympathie à l'égard de la monarchie britannique. Depuis des siècles, Londres avait administré l'Irlande avec un tel mépris que les habitants craignaient encore les conséquences de la visite officielle de la reine. Selon eux, elle profiterait de sa présence pour renforcir la domination de la Grande-Bretagne sur leur pays.

« Lord Clarendon, pourquoi si peu de sujets sont-ils venus accueillir Sa Majesté ? » interrogea le prince consort en constatant l'indifférence des gens de Dublin.

« Votre Altesse Royale, avec tout le respect que j'ai pour la souveraine, elle représente l'oppression du gouvernement contre les colonies. »

Victoria avait été informée par le premier ministre de la méfiance des insulaires à son égard. Lorsque Lord Russell lui avait fait part de cet état de fait, elle l'avait à peine cru. Devant le peu de sujets présents, elle ne pouvait que se résigner à accepter la réalité. Elle mit son orgueil de côté et poursuivit son chemin jusqu'au carrosse tiré par quatre chevaux noirs.

« Madame, le lord-maire de Dublin vous attend au siège du pouvoir local. Un banquet en votre honneur aura lieu immédiatement après votre entretien avec lui », précisa le gouverneur de l'île.

Aidée de son époux, Victoria prit place à bord de la berline en bois. Elle était déçue de la réaction des Irlandais à son égard. Elle devait renverser la situation, mais réussirait-elle ? Comment se faire aimer par un peuple en colère depuis des générations ? Un véritable défi l'attendait pendant son séjour, jusqu'ici inhospitalier envers eux.

« Ma douce, je sais que vous souffrez de l'attitude des Irlandais. Sachez que je suis de tout cœur avec vous. Ils ne pourront faire autrement que de vous aimer », dit Albert dans le creux de l'oreille de son épouse pour la réconforter.

« Vous avez sûrement raison… », répliqua la femme sans vraiment croire à ses paroles.

Le véhicule parcourut les rues de la ville sans se faire remarquer. Seule une petite escorte de quatre gardes accompagnait le couple royal le long du trajet. Alors que le carrosse s'apprêtait à franchir le portail en fer forgé de la résidence du lord-maire, des enfants lancèrent des cailloux sur la voiture. L'un d'eux fracassa une vitre du châssis où prenait place Victoria. Des morceaux de verre volèrent en éclats sur le banc en cuir rouge. Albert se jeta sur son épouse pour la protéger du danger. Elle tomba à la renverse sur le plancher du véhicule, lequel n'avait pas cessé pour autant sa course. Les hommes armés de la garde se lancèrent à la poursuite des malfaisants. Le cocher fit entrer ses passagers à l'intérieur des grilles et s'arrêta devant le hall de la demeure du chef local.

« Vous allez bien, ma chérie ? » questionna le prince, inquiet pour sa bien-aimée.

« Absolument ! Plus de peur que de mal », répondit-elle décoiffée par les circonstances.

Ils descendirent rapidement de la berline et pénétrèrent sans tarder dans le bâtiment. Dans l'entrée, la maîtresse des lieux accueillit le couple royal en n'affichant que peu de courtoisie.

« Votre Majesté, je suis l'épouse de Sir Patrick. Il m'a chargée de vous accueillir en son absence. »

« Et où se trouve le lord-maire en ce moment ? » demanda le prince, étonné de la grotesque situation.

« Sa Seigneurie est occupée à étudier des dossiers urgents de dernière minute », déclara l'hôtesse en mentant de plein gré.

La vérité était tout autre. Le politicien irlandais, en signe de protestation contre la présence de la reine, avait délibérément décidé de se faire invisible pour l'arrivée de Son Altesse Royale. Il était parti à la chasse aux canards avec trois de ses conseillers les plus proches.

« Sera-t-il présent pour le banquet donné en l'honneur de Sa Majesté ? » questionna Albert sur le point de perdre patience.

« J'imagine ! » répliqua la femme aux traits disgracieux.

Elle les guida jusqu'à leurs appartements, situés au deuxième étage de l'édifice de style George III. Victoria et son époux la remercièrent, fermèrent les portes et se regardèrent dans les yeux. Ils n'en croyaient pas leurs oreilles. Tout ce qu'ils venaient d'entendre depuis que le bateau avait jeté l'ancre étaient des plus révoltants. Jamais la souveraine n'avait été traitée de la sorte en Grande-Bretagne. Même les Écossais, plutôt hostiles à la famille royale lors de sa présence à Édimbourg, n'avaient en aucun cas agi de la sorte envers elle. Elle était en territoire rebelle et comprenait la lourde tâche qui lui incombait durant son séjour.

« Albert, la Couronne royale perd de son pouvoir sur l'île. Que dois-je faire pour remédier à la situation ? »

« Ma chérie, vous devez reconquérir les Irlandais. Non pas avec une armée sanguinaire, mais davantage avec votre charme et votre compassion », proposa le prince en jouant du bout de ses doigts avec sa moustache frisée.

« Vous avez parfaitement raison ! Tout d'abord, je dois m'assurer d'avoir dans mes rangs les aristocrates anglais. Ils sont les plus influents sur l'île. Par la suite, je dois rencontrer mes sujets là où ils vivent », s'exclama la reine en se promenant dans la pièce.

« Comment voulez-vous procéder pour réussir votre plan ? » demanda son mari.

« Ce soir, lors du banquet... Je prendrai la parole pour leur montrer toute ma passion pour l'Irlande. Je profiterai de l'occasion pour leur promettre d'intervenir auprès du premier ministre dans leur cause. Ils pourront compter sur mon appui et se sentiront ainsi directement en lien avec leur souveraine », expliqua-t-elle en souriant de joie à l'idée d'élaborer ce stratagème.

Comme convenu, alors que le soleil cédait sa place à la lune, le banquet en l'honneur de la puissante femme fut donné à la résidence du lord-maire de Dublin. Plus d'une centaine d'invités s'entassèrent dans la salle de réception. Ils étaient pour la plupart des Anglais de l'autre île. Très peu d'habitants de l'Irlande avaient accès aux hautes fonctions politiques. Prenant son courage à deux mains, Victoria descendit – en compagnie de son mari – au rez-de-chaussée du bâtiment. Son arrivée fut annoncée au son des trompettes. Tous cessèrent de parler et se tournèrent vers l'entrée de la salle. Vêtue d'une robe verte et d'un foulard orangé, Victoria avança dignement au milieu de la foule. Elle était resplendissante dans sa toilette qui arborait les couleurs du pays. Les aristocrates furent éblouis par la beauté de leur maîtresse. Témoin de ce moment, Lord Clarendon se dirigea vers la reine.

« Votre Majesté, au nom des administrateurs de l'île d'Irlande, je vous demande de bien vouloir accepter mes sincères respects », déclara le politicien à haute voix.

« Moi, Victoria, je vous jure toute ma loyauté envers ce pays rempli de légendes et riche en sujets courageux. Sachez que votre reine est votre plus fidèle alliée auprès du gouvernement de l'Empire », précisa la puissante femme d'un ton solennel.

Devant les propos de la souveraine, les invités ne pouvaient que se réjouir de ce moment historique. Se tenant derrière son épouse, Albert était fier de la mère de ses enfants. Elle s'était tenue debout face à une armée d'hommes plus ou moins réceptifs à sa présence. Du haut de ses trente ans, Victoria souhaitait s'imposer comme la clé de voûte de l'institution plus que millénaire.

« Vive la reine ! » s'écria Lord Clarendon en levant son chapeau haut dans les airs.

❧

George Villiers, un grand homme aux yeux verts, naquit le 12 janvier 1800, à Londres. Issu d'une famille bourgeoise du sud de l'Angleterre, il fréquentera le collège St. John pendant toute la durée de ses études. Vers 1820, il sera désigné comme attaché à l'ambassade britannique en Russie. Ses aptitudes en relations diplomatiques et sa facilité à apprendre les langues étrangères le propulseront sur la scène internationale. Clarendon reviendra dans son pays trois ans plus tard pour se voir offrir le poste inhérent aux « échanges extérieurs » avec la France. Devant la réussite de ses délicates missions, le gouvernement le nommera ambassadeur en Espagne et au Portugal. Pour souligner son travail remarquable, la souveraine lui décernera l'ordre du Bain et le titre de comte. À la fin des années 1830, il épousera lady Katharine Foster-Barham, fille du comte de Verulam. Après quelques autres représentations à l'étranger, le politicien sera mandaté sur l'hostile île d'Irlande. Il sera un ardent défenseur de la cause des habitants de ce coin de l'Empire.

⁂

Dans la salle de réception, tous acclamaient la reine et son époux. Tous, sauf la poignée d'Irlandais venus au banquet, dont le lord-maire. Ce dernier détestait depuis toujours la Maison de Hanovre. Sous chaque règne que connut Sir Patrick O'Donnell, les monarques avaient ridiculisé son pays. Même si la reine Victoria n'avait jamais pris officiellement position sur l'épineux dossier de l'île, il ne lui faisait pas confiance. N'était-elle pas l'héritière de tous ses oppresseurs qui l'ont précédée ? Non, le politicien n'allait pas lui accorder son respect. Son allégeance était davantage vouée à son pays qu'à l'autorité royale. Pour protester contre la présence de la souveraine, le lord-maire décida de se retirer dans ses appartements privés. Seule son épouse continua d'assister au banquet donné en l'honneur de la puissante femme.

Le lendemain, Victoria – ayant remarqué l'absence du lord-maire la veille – se rendit auprès de lui. Elle ne pouvait poursuivre sa tournée sur l'île sans avoir discuté avec lui. N'était-il pas après tout l'une des personnalités publiques les plus respectées du pays ? Elle enfila un vêtement choisi au hasard dans sa garde-robe. Confiante, elle se rendit à la bibliothèque où Sir O'Donnell aimait se retirer pour lire ses documents officiels. Devant la porte de la pièce, la souveraine prit une grande respiration et se fit annoncer par l'un des valets.

« Sa Seigneurie vous attend », dit l'homme vêtu d'un uniforme noir et doré.

La reine avança lentement, d'un pas déterminé, jusqu'à l'endroit où était assis le politicien. Le lord-maire se leva, fit une courbette et offrit une place à Victoria sur un fauteuil recouvert de tissu.

« Sir O'Donnell, votre demeure est resplendissante. C'est sûrement l'un des joyeux architecturaux de l'île », dit d'entrée de jeu la souveraine pour gagner sa faveur.

« En effet, Votre Majesté, Dublin regorge de beauté », répondit-il d'une voix incertaine.

« Sachez, mon bon ami, que j'aime l'Irlande et que j'ai la ferme intention d'y aider mes sujets. Je connais la souffrance que l'île subit depuis trop d'années. Je ferai tout en mon pouvoir pour convaincre le Parlement de la nécessité de secourir le peuple. »

170

Intrigué par les paroles de la reine, l'homme l'écouta attentivement. Peut-être l'avait-il jugée sans vraiment connaître le fond de sa pensée ? Si l'Irlande pouvait compter sur la protection de la souveraine, ses sinistres jours pourraient se transformer en un avenir prometteur.

« Madame, pourquoi êtes-vous venue ici ? »

« Honnêtement, au départ, j'avais l'intention de renforcer les liens avec Londres… En ce moment, je crois qu'il est davantage nécessaire de reconstruire le pays sur des bases solides », avoua la reine en toute franchise.

Le lord-maire fut agréablement surpris de la détermination de Victoria dans l'avancement de ce pays de l'Empire. L'idée d'en faire une alliée à la cause de l'île lui vint soudainement en tête. La souveraine, par ses prérogatives royales, pouvait influencer les décisions du premier ministre et du gouvernement. Qu'est-ce qu'il valait le mieux pour son pays : la bouder ou l'inclure dans son entourage ?

« Votre Majesté, votre sagesse est étonnante… Vous êtes différente de votre oncle, le défunt Guillaume IV. Vous semblez plus ouverte aux discussions et aux compromis », déclara l'Irlandais en examinant le visage de la souveraine.

« Je considère cela comme un compliment », répliqua-t-elle.

Dès cet instant, Victoria venait de faire tomber une barrière entre elle et les rebelles. Il ne restait plus qu'à reconquérir le respect de ses sujets sur l'île. Pour ce faire, la reine et son époux reprirent la route mais, cette fois-ci, en dehors de la capitale. Accompagné par une escorte d'hommes armés, le couple royal parcourut les campagnes. Dans chaque village, Victoria et Albert essayèrent de se mêler à la foule. Ils voulaient échanger avec le peuple et les dirigeants locaux. Le cortège de la souveraine longea la côte sud de l'île. Les paysages, aux yeux des amoureux, étaient à couper le souffle.

« Ne trouvez-vous pas merveilleux toutes ses collines vertes et cette mer à perte de vue ? » s'exclama la reine, le haut du corps à l'extérieur du carrosse.

« L'Irlande est sûrement l'une des terres les plus stupéfiantes d'Europe », avoua Albert.

« Pourquoi ne résiderions-nous pas ici quelque temps ? » lança Victoria en reprenant sa place sur le banc en cuir.

« Vous aimeriez y passer combien de temps ? » questionna le prince.

« Je ne sais trop… Quelques semaines de plus », répondit la souveraine en souriant.

Sans prendre de décision immédiate, ils y réfléchirent tout le long du trajet. Avant son départ de la capitale britannique, la reine avait prévu s'absenter pendant un mois. Sans ses enfants, elle finirait par s'ennuyer d'eux.

Le véhicule royal arriva finalement à Cork, la ville la plus au sud du pays, sous un ciel nuageux. La température y était clémente, mais aucun rayon de soleil n'éclairait la commune. Lord Clarendon, organisateur du séjour de la puissante femme et de son époux, avait réservé une aile complète d'un vieux manoir perché sur un mont. L'autre partie était temporairement occupée par un couple d'aristocrates anglais. La berline traversa lentement les rues, sous les regards interrogateurs des habitants.

« Qui est-ce, mère ? » demanda une fillette en lui tirant la manche de sa robe.

« Je ne sais pas ! » répondit l'Irlandaise en poursuivant sa route parmi les boutiques du bourg.

La scène ne passa pas inaperçue aux yeux de Victoria, assise dans son carrosse. Elle regarda son époux, qui avait également entendu les paroles de la jeune fille. Sur un coup de tête, elle fit immobiliser la voiture. La souveraine, quelque peu craintive, sortit de son véhicule. Elle était suivie de son mari, le prince consort. Debout, au milieu de la rue poussiéreuse, elle s'avança vers les habitants de Cork. Surpris, les gardes de l'escorte se regardèrent, ne sachant trop comment assurer la sécurité de leur protégée. Ils entourèrent Victoria et Albert afin de limiter leurs déplacements.

« Messieurs, je vous prie de vous retirer », ordonna la souveraine en les repoussant de la main.

« Madame… », commença l'un des hommes vêtu d'une armure.

« Mon brave ami, obéissez-moi ! » interrompit la reine en se tournant vers l'individu.

Ce dernier recula de quelques pas et rejoignit ses confrères d'armes. Il devait se soumettre aux directives de sa maîtresse. Malgré tout, l'escorte garda un œil vigilant sur les deux nobles.

« Ma petite, comment allez-vous ? » dit Victoria en se penchant vers l'enfant.

« Bien, Madame ! » répondit Mathild en serrant la main de sa mère.

« Sais-tu qui je suis ? » demanda la reine.

La fillette, timide, ne connaissait pas l'identité de son interlocutrice. Contrairement à la Grande-Bretagne, l'Irlande ne regorgeait pas de portraits officiels de la souveraine. Mathild n'avait donc jamais vu le visage de Victoria auparavant.

« Je suis la reine Victoria, et ce monsieur est mon époux, le prince Albert », précisa la souveraine en s'adressant à la jeune fille de Cork.

« Enchantée, Madame ! » répondit la fillette en soulevant le bas de son vêtement taché de boue séchée.

174

La reine éclata de rire devant l'innocence de Mathild. Cette rencontre, impromptue, lui redonna espoir. *Peut-être que tout n'est pas perdu sur cette île ?* songea-t-elle. Victoria se redressa vers la mère et lui fit un sourire aimable. Nerveuse de rencontrer sa maîtresse pour la première fois, celle-ci fit une révérence maladroite.

« Vous avez une charmante gamine », déclara Victoria pour détendre l'atmosphère.

« Votre Majesté est trop aimable de ses bons mots », répliqua la femme, tout aussi peu convenablement habillée que sa fille.

Après cette courte mais fructueuse discussion imprévue, le couple royal salua une dernière fois les Irlandais regroupés autour d'eux et reprit place dans leur véhicule. Les hommes armés augmentèrent la cadence des chevaux et se dirigèrent vers le manoir. En chemin, les amoureux échangèrent sur ce qu'ils venaient de vivre avec le peuple. Jamais, depuis son accession au trône de ses ancêtres, la souveraine ne s'était mêlée à ses sujets. L'expérience lui fut des plus agréables, de même qu'au prince consort.

« Croyez-vous que j'ai fait une erreur en agissant de la sorte ? » demanda Victoria en s'adressant à son mari.

« Non, vous avez eu une excellente initiative », répondit Albert avec honnêteté.

Au bout d'une dizaine de minutes, le cortège pénétra sur le domaine de la prestigieuse résidence. Sise sur un belvédère, la demeure surplombait une partie de la baie. Immédiatement, la reine eut un coup de foudre pour l'endroit. La tranquillité qui s'y dégageait donnait un charme qui lui plut énormément.

« Mon chéri, je suis stupéfiée de voir un lieu si adorable », lança-t-elle en collant son visage contre la fenêtre.

« Ma douce moitié, vous détenez les châteaux les plus enviés de tout le royaume et vous êtes en admiration devant ce manoir », rétorqua le prince consort en riant.

Elle le regarda droit dans les yeux et lui fit une grimace comme simple réponse. Le geste enfantin de la souveraine le fit éclater de rire. Décidément, son épouse le surprendrait toujours. Ils pénétrèrent à l'intérieur du bâtiment avec une certaine curiosité. Des statuettes décoraient chaque mètre du hall d'entrée. Les murs blancs permettaient aux rayons du soleil de refléter sa lumière étincelante partout dans la résidence.

Alors que le couple royal, guidé par un domestique, se rendait vers l'aile qui leur était réservée, une femme très volubile s'avança vers Victoria. Elle portait une véritable collection de bijoux. Des colliers, des bracelets, des boucles d'oreilles, des bagues et d'autres objets reluisants étaient accrochés çà et là sur elle.

« Votre Majesté, quel honneur de vous voir ici », s'exclama l'inconnue en se courbant le dos.

« Je vous remercie. Et vous êtes ? » interrogea la souveraine, intriguée de connaître l'identité de cette mystérieuse dame.

« Je suis Alexandra Spencer, comtesse d'Essex », répondit-elle en gesticulant.

« Vraiment ! Que faites-vous en Irlande ? » demanda la reine.

« Mon époux, Brandon, est chargé du commandement d'une cavalerie pour protéger la venue de l'archevêque de Cantorbéry. »

« Je suis ravie de vous rencontrer en ces lieux. Est-ce votre première visite sur l'île ? » s'informa Victoria.

« Non, nous avons une résidence sur la côte ouest. Notre château est situé à Killarney, tout près du château de Ross », précisa la comtesse.

« J'ai une idée… Accepteriez-vous, ainsi que Sa Grâce, de vous joindre à notre table ce soir ? » proposa Victoria.

« Avec joie, Madame ! »

Les deux femmes se saluèrent poliment et se séparèrent pour vaquer à leurs occupations. Une chimie s'était installée entre elles. La souveraine était enthousiasmée de cette rencontre fortuite. Le couple royal se rendit jusqu'à leurs appartements privés. Après des hauts et des bas, le séjour en terre hostile avait épuisé les amoureux.

En soirée, le comte et la comtesse d'Essex se présentèrent aux appartements de la reine et de son mari. Ils furent accueillis par Albert, qui les invita à prendre place autour d'une longue table en bois entourée de dix chaises en chêne.

« Sa Majesté sera parmi nous dans quelques minutes », annonça le prince.

Un court instant après cet accueil, Victoria apparut dans la pièce où l'attendaient ses invités. Elle avait opté pour un vêtement moins encombrant et ne portait aucun ornement. La souveraine voulait organiser une soirée décontractée et sans protocole.

« Alexandra, parlez-moi de ce bout de l'île sur lequel vous avez un château. Je veux tout savoir de l'Irlande », dit en guise d'introduction la reine en s'assoyant sur l'une des chaises rembourrées.

« Killarney est un village de pêcheurs au centre du comté de Kerry. Là-bas, les gens sont accueillants et très sympathiques. En aucune circonstance je n'ai été témoin de gestes disgracieux de leur part. Au contraire, l'an passé, un feu s'est propagé dans une partie des cuisines de notre résidence. Aussitôt, les habitants sont venus nous aider à l'éteindre », expliqua-t-elle en détail en bougeant ses mains dans toutes les directions.

178

Pendant tout le repas, les quatre voyageurs échangèrent sur des sujets aussi divers que la politique, la nourriture, la religion, la culture et la technologie. Le comte et le prince avaient plusieurs points en commun. De leur côté, la comtesse et la souveraine aimaient pratiquement les mêmes choses. Plus les heures passèrent, plus une familiarité jusqu'ici insoupçonnée s'installa entre eux.

Les jours suivants, les nouveaux amis se donnèrent rendez-vous chaque soir dans les appartements privés du couple royal. Pendant la journée, la reine se rendait dans le village pour se faire voir de ses sujets. La présence de Victoria et d'Albert au manoir se prolongea sur près d'une semaine. Deux semaines avant la fin de leur tournée en Irlande, la souveraine et le prince entreprirent d'accompagner Brandon Spencer et son épouse jusque sur la côte ouest. C'était l'occasion idéale pour la reine de poursuivre son exploration du pays.

Killarney était le plus convivial endroit que Victoria visitât de toute sa vie. Elle avait toujours eu un faible pour l'Écosse, mais ce n'était rien en comparaison du coup de foudre qu'elle ressentit pour ce bout de terre. Entourés par une multitude de montagnes, les lieux semblaient sortir directement d'un conte de fées. Seule une route secondaire, plus ou moins praticable, permettait aux véhicules de se rendre au village. La couleur prédominante était sans contredit le vert. Les champs, les maisons et même les bateaux s'agençaient ensemble. Sur le bord d'une falaise, deux énormes châteaux se démarquaient des autres bâtiments plus modestes.

«Voici le château de Ross. L'un des chefs de clan les plus riches de l'île y séjourne quelques semaines par an», dit Alexandra Spencer en regardant la demeure.

Résidence du XVe siècle, l'habitation était construite comme une forteresse du Moyen Âge. À première vue, elle semblait inhabitée depuis un long moment. Peut-être le seigneur y viendrait-il pendant le séjour de la reine ?

«Voici notre manoir!» lança la comtesse, heureuse de retrouver le domaine.

Le bâtiment du couple comtal n'était pas aussi majestueux que l'autre, mais il avait un certain charme. Située sur le bord d'un interminable lac, la demeure avait été érigée, une cinquantaine d'années plus tôt, par un haut gradé de l'Armée royale. Devant une faillite soudaine, il avait dû vendre son inestimable bien pour éponger ses nombreuses dettes. Brandon Spencer l'avait acheté pour un montant dérisoire et avait entrepris de l'agrandir. Le manoir était entouré d'une forêt d'arbres au feuillage épais. Derrière ce mur vert, l'atmosphère était paisible pour quiconque souhaitait y faire une promenade.

«Quel endroit remarquable ! Un havre de paix... », s'exclama Victoria en franchissant l'enceinte.

Pendant plusieurs jours, la souveraine et son époux se reposèrent à la demeure des Spencer. Ils profitèrent de la quiétude du manoir pour prendre soin d'eux. Cela ne les empêcha pas de se rendre au village à plus d'une occasion. Comme elle l'avait fait à Cork, Victoria se mêlait aux habitants pour les connaître. Là encore, sa présence réaffirma l'image de la monarchie dans cette partie de l'île. La puissante femme organisa même une fête dans la cour arrière de la résidence de son amie. Elle invita les aristocrates et les bourgeois des environs afin de regagner leur sympathie. Toutes les actions déployées par la reine trouvèrent écho dans le pays, du nord au sud et d'ouest en est. La nouvelle traversa la frontière pour se répandre jusqu'à Londres. Informé, le premier ministre ne pouvait que se réjouir de la réussite de sa maîtresse.

Le 20 avril 1849, après plus de trois semaines de voyage, le couple royal décida de reprendre la direction de la capitale du royaume. L'absence de leurs enfants commençait à attrister les époux. De plus, même si la souveraine aurait bien voulu demeurer plus longuement en Irlande, ses responsabilités ne le lui permettaient pas. Tôt le matin, alors qu'un brouillard flottait sur les champs, le carrosse et la cavalerie attendaient devant le hall d'entrée du manoir. Debout près du véhicule, les quatre amis se firent leurs adieux en se promettant de se revoir bientôt.

« Bonne route, Votre Majesté ! » s'écria Alexandra Spencer en saluant la souveraine de la main alors que la berline noire quittait le domaine.

Le cortège emprunta le même chemin qu'à l'aller pour revenir vers Dublin. La reine et le prince décidèrent de passer la nuit dans un minuscule village, de l'autre côté de Cork. Non pas qu'ils ne voulaient pas revoir les habitants de la ville du sud, mais davantage parce qu'ils souhaitaient rencontrer de nouveaux sujets. Immédiatement après une brève apparition en public, la reine reprit son chemin vers sa destination.

Quatre jours plus tard, la puissante femme et son époux débarquèrent dans la plus populeuse ville de l'île. Ils revinrent à la résidence du lord-maire pour passer leur dernière nuit dans le pays. Fatigués de leur tournée officielle, Victoria et Albert ne participèrent à aucune autre activité à Dublin. Par contre, Victoria accorda une audience à Lord Clarendon. Satisfait du résultat obtenu, le gouverneur félicita sa maîtresse pour son impact positif sur l'Irlande.

« Mon cher ami, vous avez relevé le défi de planifier la plus extraordinaire visite d'un monarque en sol irlandais. Je garderai en mémoire que d'excellents souvenirs qui, je l'espère, ne pourront qu'alimenter mon amour pour ce coin de l'Empire », avoua-t-elle en souriant à George Villiers.

« Je dois admettre qu'au départ j'avais certaines réticences envers votre projet de séjour ici. Mais Votre Majesté a su se faire accepter par son peuple avec un doigté remarquable », répondit l'individu en se courbant le dos.

182

Le lendemain, le couple royal monta à bord du *Golden Lady* et salua l'équipage. Pour l'occasion, Sir Patrick O'Donnell et Lord Clarendon accompagnèrent leur maîtresse jusqu'au port de la capitale irlandaise. Le ciel était bleu et la mer plutôt calme.

« Espérons que nous ne rencontrerons pas de tempête », déclara Victoria d'un ton joyeux en s'approchant du capitaine.

Ce dernier s'esclaffa d'un rire gras en entendant les paroles de la reine. Il ne savait que trop bien à quoi elle faisait allusion. Le navigateur fit une courte révérence à la souveraine en guise de salutation. Celle-ci et le prince, en se retournant, regardèrent en direction du port, les yeux remplis d'eau. Ils quittaient définitivement l'île après près d'un mois de plaisir parmi le peuple.

« Ma chère Irlande », dit à voix basse la reine pendant que le navire s'éloignait en mer.

CHAPITRE VI
Une visite en France

Empire de France, 1850-1856

APRÈS LEURS vacances de Noël sur l'île de Wight, tradition établie depuis près d'une décennie, les membres de la famille royale revinrent au palais de Buckingham. De nouveau enceinte, Victoria devait se libérer doucement de ses responsabilités officielles jusqu'à l'accouchement. Elle était mère de six enfants, âgés de deux à dix ans. Avec le soutien de son époux et de la duchesse de Kent, la souveraine arrivait à concilier ses prérogatives royales et sa vie familiale. Sur presque la totalité des aspects de son existence, la puissante femme avait un destin peu commun qui semblait lui être favorable. Sa progéniture était en parfaite santé, son mariage regorgeait d'amour, sa relation avec sa mère s'était améliorée, ses sujets du royaume et de l'Empire l'adulaient, son gouvernement l'appréciait et son influence grandissait. La venue au monde d'un septième héritier ne pouvait que renforcer la continuité de la monarchie.

« Ma douce, Lord Russell fait une grave erreur en rejetant la proposition de l'opposition », dit Albert en pénétrant dans le petit salon.

« Calmez-vous, mon chéri ! Je comprends votre désarroi mais il est le premier ministre », répondit Victoria assise dans son fauteuil préféré.

Ardent défenseur de la condition des travailleurs du milieu industriel, le prince ne pouvait concevoir que le gouvernement lève le nez sur un projet de loi pouvant améliorer le sort de ces derniers. Plusieurs dizaines de milliers de sujets vivaient grâce à l'explosion économique de ce secteur. Londres, mais également Liverpool et Manchester foisonnaient d'industries de toutes sortes. Des manufactures de textiles, des usines forestières et d'autres compagnies offraient une multitude d'emplois aux moins nantis de la société.

« Pourquoi refuse-t-il d'offrir des logements à prix modiques aux travailleurs ? » s'indigna Albert.

« Selon ce que j'ai entendu, le royaume n'a pas les moyens de construire ce genre de bâtiments », expliqua la souveraine.

« Foutaise ! Si le gouvernement cessait d'augmenter les dépenses militaires, le Parlement pourrait voter en faveur de cette initiative », répliqua l'homme sur le point d'éclater.

Albert, malgré son rang au sein de la Couronne royale, était considéré comme un avant-gardiste sur le plan social. À plusieurs occasions, il avait partagé ses idées avec les parlementaires. Certaines de ses propositions trouvèrent un appui à la Chambre des communes. L'une d'elles consistait à mettre sur pied une exposition universelle afin de montrer les nouvelles technologies mondiales. L'événement devait se tenir au printemps suivant, soit en 1851. Le premier ministre avait permis de débloquer une somme astronomique pour la réalisation du projet. Le porte-parole de l'initiative était nul autre que le prince de Saxe-Cobourg-Gotha. Ce dernier prenait très à cœur son implication dans l'organisation. Chaque semaine, il convoquait les ingénieurs et autres spécialistes pour s'assurer de l'avancement de l'élaboration des plans.

Le 1er mai, sur l'heure du midi, la souveraine donna naissance à un autre fils. Tout aussi magnifique que les précédents, le poupon ressemblait à s'y méprendre à son père. Il avait les mêmes yeux et les mêmes traits que le prince consort. Lors du baptême anglican qui eut lieu à la chapelle Saint-Georges du château de Windsor, le couple royal lui donna le prénom d'Arthur. Le petit prince fut accueilli avec bonheur par ses parents et le reste de la famille royale. Il deviendra même le préféré de sa grand-mère, la duchesse de Kent. Régulièrement, la vieille femme – âgée maintenant de 64 ans – faisait venir son petit-fils au palais de Kensington. Il pouvait rester des journées entières auprès d'elle.

Un mois après l'heureux événement, la famille royale se rendit au château de Balmoral. Victoria devait faire une brève tournée de l'Écosse pour solidifier l'unité du royaume. Elle profita de sa présence dans ce coin du pays pour visiter les hautes terres. Il y avait tellement de légendes – quelquefois millénaires – qui racontaient des moments de l'histoire des Scots et des Pictes. Ces deux peuples s'étaient battus pour conquérir le territoire vers le haut Moyen Âge. Fascinée par la culture de ses sujets du Nord, Victoria adorait se rendre dans les endroits les plus mythiques. Elle était captivée par la vie de Marie Stuart. Cette reine écossaise avait perdu la vie sous les ordres de sa cousine, Élisabeth Iʳᵉ d'Angleterre. L'existence de cette souveraine – au XVIᵉ siècle – fut l'une des périodes les plus marquantes de la monarchie.

« Albert, croyez-vous que Marie Stuart aurait renversé sa cousine si cette dernière l'avait épargnée ? » demanda la reine alors qu'ils visitaient le château de Loch Leven.

« Elle avait une certaine passion pour le pouvoir, mais son règne était contesté par les protestants écossais. Je ne crois pas que les Anglais auraient accepté une catholique sur leur trône », répondit-il en réfléchissant.

« Pourtant, Marie Tudor, lors de son règne, fut une fidèle de Rome », répliqua Victoria en se tournant vers son mari.

« Certes, mais l'influence d'Élisabeth était amplement plus répandue que celle de sa sœur chrétienne », s'exclama le prince.

Le carrosse transportant le couple royal reprit la route d'Édimbourg à la fin de juin. La reine avait décidé de passer une semaine au palais de Holyrood afin de réaffirmer sa présence dans la capitale écossaise. Lors de son accession au trône, elle avait entrepris d'y résider plusieurs semaines par année, mais pas nécessairement de manière consécutive. Albert préférait séjourner dans ce coin de la Grande-Bretagne plutôt que de vivre au palais de Buckingham. Il aimait profondément l'atmosphère des lieux et la gentillesse des habitants de la vieille ville. Les enfants du couple, pour leur part, raffolaient des espaces verts à perte de vue du palais. Contrairement à Londres, Édimbourg comptait beaucoup moins de gens que la capitale du royaume, plus au sud. De plus, le prince pouvait partir à la pêche au bord d'un des multiples lacs que recelait la région.

La veille de leur départ pour l'Angleterre, la reine et son époux invitèrent une cinquantaine d'aristocrates au palais. Chaque année, la souveraine remettait des insignes de l'ordre du Chardon, une distinction honorifique réservée aux plus illustres personnalités écossaises. Lors de cette réception qui se déroulait dans la salle du trône, Victoria accueillit ses convives le temps de quelques heures. De la musique et de la danse suivaient la cérémonie protocolaire. Il s'agissait, sans contredit, de l'événement le plus couru de l'année. Les dames en profitaient pour revêtir leurs plus ravissantes robes et les hommes pour arborer leurs diverses médailles. Avant de quitter la soirée, tous les invités entamaient à l'unisson le *God Save the Queen*.

188

Pendant les mois suivants, Victoria remplit ses devoirs officiels au sein de tout le royaume. Elle accorda une audience hebdomadaire au premier ministre afin de s'informer des affaires courantes du Parlement. Sur le trône depuis treize ans, la souveraine connaissait presque par cœur les rouages dans lesquels elle était impliquée de par sa position au sommet de la Grande-Bretagne. Appuyée de son époux et à certaines occasions de sa mère, elle avait réussi à redonner du lustre à la Couronne royale. Les débuts difficiles de son règne étaient loin derrière elle. La monarchie britannique était même considérée comme la plus glorieuse de l'Europe. Pourtant, d'autres pays comme l'Espagne, le Danemark et la jeune Belgique avaient un roi ou une reine comme chef. Malgré tout, aucune royauté n'équivalait celle de la Maison de Hanovre.

Au printemps 1851, Londres commençait à vibrer en vue de l'ouverture prochaine de l'Exposition universelle. Pour la tenue de l'événement, le gouvernement fit construire un imposant bâtiment d'une superficie de sept hectares et demi au cœur de la capitale. Nommé le palais de Cristal, l'édifice était une structure de verre montée de toutes pièces pour impressionner les visiteurs. Plusieurs politiciens considéraient l'endroit comme l'une des merveilles du siècle. Il est vrai que des ingénieurs mirent au point des techniques jusqu'alors inconnues. Les organisateurs – le prince consort en tête – espéraient attirer des centaines de milliers de curieux de partout sur le continent. Avec le coût du billet d'entrée, Albert envisageait d'aménager un centre éducatif dans l'un des quartiers défavorisés de la ville.

« Mon chéri, je suis extrêmement fière de vous. Votre intelligence a démontré au monde entier que la Grande-Bretagne est une puissance. Avec la tenue de l'Exposition universelle, nous entrerons dans une ère nouvelle », déclara Victoria quelques jours avant l'événement.

Le 1er mai, devant un parterre bondé de gens, la souveraine ouvrit officiellement les portes de l'exposition. Sous un toit de verre, à l'intérieur duquel pénétraient les rayons du soleil, le couple royal se promena de kiosque en kiosque. On pouvait y voir toutes sortes de nouveautés provenant de différents pays : des produits manufacturés, des matières premières, les avancées dans l'industrie en général et même des œuvres d'art rarement vues auparavant. Au bout de la dizaine de jours que dura l'événement, les organisateurs chiffrèrent l'affluence à un nombre dépassant les six millions de visiteurs. Jamais, dans l'histoire de la Grande-Bretagne, autant de gens ne s'étaient réunis dans un même lieu. Même les moments les plus mémorables du passé n'égalaient nullement celui-ci. Le chancelier de l'Échiquier, responsable des finances du royaume, remit un montant colossal au prince consort pour son projet. Albert avait relevé son défi : la tenue de l'Exposition universelle ainsi que la construction du bâtiment dans le secteur pauvre de la capitale.

190

Le couple royal, au sommet de sa gloire, accueillit un nouveau membre le 7 avril 1853. Naquit en ce jour un petit garçon prénommé Leopold en l'honneur d'un des oncles de la souveraine. Comparativement à ses aînés, le petit prince avait une santé fragile. Il était né prématurément par césarienne, le seul de la famille royale à avoir ainsi vu le jour. Le poupon fut suivi de près par une équipe de médecins chevronnés. Craignant pour la vie du bébé, Albert resta au chevet de sa progéniture pendant de longues nuits. Il était bouleversé par l'état de santé de son enfant. Il priait sans cesse le Tout-Puissant afin qu'il épargne son fils. Au bout d'un mois, la santé du nouveau-né s'améliora. Était-ce grâce à l'intervention de Dieu ? L'époux de la plus puissante femme du royaume en était convaincu. Le miraculé reçut, comme les autres membres de la dynastie, le baptême par l'archevêque de Cantorbéry. Le trône britannique comptait plus d'héritiers que toutes les autres monarchies européennes réunies. Âgée dans la mi-trentaine, la reine commençait à ressentir les signes du vieillissement. Elle avait donné huit enfants à son époux, dont plusieurs de sexe masculin. Elle avait pleinement rempli son engagement en ce qui avait trait à la continuité de la royauté.

L'année suivante, alors qu'elle souffrait d'une mauvaise grippe, Victoria apprit de la bouche de Lord Aberdeen, premier ministre nouvellement élu, que la Grande-Bretagne devait entrer en guerre contre l'Empire russe. Aidé de ses alliés, la France et les Ottomans, le royaume devait repousser l'expansion territoriale du tsar de Saint-Pétersbourg. Indécise, la souveraine dut s'incliner devant la proposition du chef du gouvernement. Il avait réussi à la convaincre d'autoriser la participation de l'armée sur le continent.

« Madame, l'ambassadeur de France est arrivé pour son audience avec Son Altesse », annonça l'une des dames de compagnie.

« Faites-le patienter dans la bibliothèque », répondit Victoria en défroissant le bas de son vêtement.

La souveraine rejoignit l'individu peu de temps après l'annonce de son arrivée. Elle s'avança vers lui et lui présenta sa main. Le politicien y déposa un léger baiser en signe de respect et de soumission.

« Votre Majesté, mon maître, l'empereur des Français, demande la permission de venir dans votre royaume afin de sceller une entente formelle dans le conflit opposant certains pays d'Europe aux Russes », s'exclama le diplomate étranger en présentant une lettre signée par Napoléon III.

Victoria prit le document, rompit le sceau en cire et lut attentivement le contenu du message. Il était évident que son vis-à-vis souhaitait ardemment le soutien public de la Grande-Bretagne.

« Votre Excellence, dites à Sa Majesté Impériale que je rencontrerai mon premier ministre à ce sujet. Dès que ma décision sera prise, mon ambassadeur se rendra à Paris pour l'annoncer au souverain », précisa la reine en remerciant l'homme pour s'être déplacé jusqu'à elle.

Dans la même journée, Lord Aberdeen fut convoqué au palais de Buckingham. Victoria souhaitait lui transmettre l'information qu'elle détenait. Recevoir le monarque d'un autre pays n'était pas une décision à prendre à la légère. La reine reçut le politicien dans la même pièce que l'émissaire impérial un peu plus tôt.

« Madame, que me vaut cette audience impromptue ? » demanda d'entrée de jeu le chef du Parti libéral.

Au milieu du XIXᵉ siècle, les whigs changèrent le nom de leur formation politique. Afin d'améliorer de manière considérable son image, le parti décida d'opter pour une nouvelle appellation dont l'objectif était de gagner l'appui des commerçants bourgeois.

« Puisque vous êtes mon premier ministre, je me dois de vous informer que Sa Majesté l'empereur des Français sollicite une visite officielle en Grande-Bretagne », déclara la souveraine en regardant par l'un des vitraux de la fenêtre.

« Quel serait le but de ce déplacement parmi nous ? » demanda-t-il en prenant place dans un fauteuil.

« Nous sommes les alliés de la France et, dans ce contexte, Napoléon Bonaparte croit important de renforcer notre situation commune », précisa-t-elle en se tournant vers le parlementaire.

« Donc, que suggérez-vous de faire pendant sa présence à Londres ? » interrogea George Hamilton Gordon.

« Je crois que l'empereur et son épouse devraient séjourner ici, au palais de Buckingham, et recevoir l'ordre de la Jarretière. Par ce geste symbolique, nous reconnaîtrions l'amitié entre nos deux nations. Je profiterais même de l'occasion pour créer une nouvelle distinction honorifique afin de récompenser la bravoure de nos soldats dans cette guerre contre les Russes », expliqua en détail la puissante femme.

« Quelle idée ingénieuse ! » répondit Lord Aberdeen en se frottant les mains tant il était satisfait de cette initiative.

« Bien ! Dans ce cas, je vous charge d'organiser la visite impériale en sol britannique », conclut la souveraine en se dirigeant vers la sortie.

Le 16 avril 1855, un paquebot français aux couleurs de l'Empire accosta au port de Douvres. Il transportait Napoléon III et Eugénie, ainsi qu'une panoplie de représentants du gouvernement de Paris. Pour les accueillir, le prince consort et le premier ministre attendaient à l'endroit où arrivait le cortège impérial. Une fine pluie tombait du ciel en cette journée historique pour les deux pays voisins. L'homme corpulent et sa jolie épouse descendirent du navire au son des trompettes.

« Vos Majestés Impériales, soyez les bienvenues au Royaume-Uni de Grande-Bretagne et d'Irlande », dit en guise d'introduction le prince consort.

Depuis peu, le Parlement avait voté une loi sur l'appellation officielle du pays. Il avait été décidé d'inclure le terme *uni* après le mot *royaume*. Dans les faits, la Grande-Bretagne regroupait les anciens royaumes d'Angleterre et d'Écosse ainsi que la principauté de Galles.

« Votre Altesse Royale, je vous remercie pour vos paroles sincères », répondit l'empereur français en serrant la main de l'époux de Victoria.

Par la suite, Albert déposa un baiser de courtoisie sur le gant recouvrant la main de l'impératrice.

« Voici Lord Aberdeen, le premier ministre de Sa Majesté la reine », précisa le prince en invitant le monarque à saluer le politicien.

Lorsque les présentations furent faites, les invités de marque accompagnèrent leurs hôtes jusqu'à un manoir situé en périphérie de la ville. Lors du court trajet en carrosse, Napoléon échangea quelques civilités avec le mari de la reine. Il s'informa entre autres de l'état de santé de la duchesse de Kent. Une migraine constante affligeait depuis quelques mois la mère du chef de la famille royale. Les médecins n'avaient pas encore trouvé l'origine de la persistante douleur. Âgée de près de 69 ans, la vieille dame n'était plus aussi solide que dans sa jeunesse.

Pour souligner la présence de l'honorable invité, le lord-maire de Douvres avait organisé une brève cérémonie pour la signature du livre d'or. Devant le hall du manoir, Napoléon devait apposer son autographe sur l'une des pages de l'album. Comme prévu, l'événement se déroula à la perfection. Une foule s'était massée devant le bâtiment, en espérant apercevoir l'empereur et son épouse. À la fin de cette formalité, une imposante escorte accompagna le véhicule du couple impérial vers la capitale du royaume.

Devant l'entrée principale du palais de Buckingham, la reine attendait ses prestigieux invités. Elle avait suivi – dans les moindres détails – la planification de la visite du monarque en sol britannique. La souveraine portait une jolie robe longue, avec une traîne en soie, de couleur turquoise pâle. Sur ses cheveux, elle arborait l'un de ses diadèmes les plus dispendieux. Un ruban bleu longeant son torse, de haut en bas, affichait des médaillons à l'effigie des rois de la Maison de Hanovre. Le cortège arriva finalement dans un nuage de poussière. Les chevaux, épuisés par le trajet depuis le sud de l'Angleterre, s'arrêtèrent devant la puissante femme. Un valet s'approcha de la berline noire et ouvrit la portière. Le prince Albert descendit le premier, suivi par Napoléon III et Eugénie. Sous le traditionnel son des trompettes, le couple impérial s'avança vers leur hôtesse. Albert se tint debout, près de son épouse.

« Mon cher Napoléon ! Que je suis enchantée de faire votre connaissance », dit la souveraine en souriant à son vis-à-vis.

« Quel honneur pour moi de fouler le sol anglais », répondit l'autre en baisant la main de la reine.

« Eugénie, vous êtes resplendissante ! On m'avait fait les louanges de votre beauté, mais jamais je n'aurais cru qu'elle dépassait les dires de ces personnes », déclara Victoria en déposant sa main sur celle de l'impératrice.

« Vous êtes trop aimable, Madame », répliqua la dame, un accent dans la voix.

Après quelques salutations de la main à la foule rassemblée pour les accueillir, les quatre dignités entrèrent à l'intérieur de l'imposante demeure londonienne. Derrière eux, leurs politiciens discutaient de dossiers officiels. Les décisions étaient prises par le gouvernement, approuvées par le monarque et exécutées par les ministres. Un grand bal eut lieu le soir même au palais de Buckingham. Plusieurs personnalités du Royaume-Uni et de la France y furent invitées. Parmi elles, le comte et la comtesse d'Essex, le lord-maire de Londres, quelques anciens chefs de gouvernement, l'ambassadeur de France et l'archevêque de Cantorbéry. Tous se bousculaient aux portes pour participer à cette réception en l'honneur du couple impérial.

« Une vraie réussite, cette soirée ! » déclara Alexandra Spencer à son amie.

« Absolument ! » répondit Victoria en ricanant derrière un éventail.

La souveraine valsa avec l'empereur, et le prince fit de même avec l'impératrice. Tous les regards étaient tournés vers les deux couples. Pendant le bal, Eugénie se retira pour se reposer sur l'un des balcons de la résidence royale. En dansant, elle avait ressenti un léger malaise au dos. Sous un ciel étoilé, elle regardait les incalculables lumières de la capitale. Partout où ses yeux se posaient, un lampadaire éclairait les lieux.

« Votre Majesté se sent-elle bien ? » demanda une voix féminine en s'avançant vers l'impératrice.

En se retournant, celle-ci reconnut immédiate-ment Victoria. La souveraine, ayant remarqué l'absence de son invitée, s'était empressée de partir à sa recherche. En passant devant l'une des portes menant au balcon, elle avait aperçu la silhouette de l'étrangère. Elle avait donc décidé de s'adresser à elle pour connaître la raison de son retrait.

« Madame, ne vous en faites pas… Je me sens mieux, maintenant », la rassura l'impératrice en jouant avec son bracelet en or.

Après une brève discussion, les deux femmes retournèrent auprès des autres invités pour poursui-vre la soirée. Une complicité prit naissance entre elles dès cet instant. Autrefois ennemis jurés, les souverains de Grande-Bretagne et de France semblaient mettre de côté leurs conflits politico-religieux qui duraient depuis des siècles. Pendant la durée du séjour du couple impérial, l'empereur participa à de multiples manifestations de rappro-chement entre les alliés. Il accorda une audience au premier ministre du royaume, rencontra le chef spirituel de l'Église anglicane et les présidents des chambres du Parlement britannique. Jour après jour, Victoria et Eugénie tissaient des liens étroits et particuliers. Sans vraiment connaître la source de cette amitié grandissante, elles adoraient passer du temps ensemble. Des sœurs n'auraient pas davantage été plus en harmonie.

La veille de leur départ pour Paris, Napoléon et son épouse furent invités au château de Windsor. Pour souligner leur alliance contre l'Empire russe, la Grande-Bretagne décida de décerner l'ordre de la Jarretière à l'empereur français. Lors d'une cérémonie solennelle dans les jardins de la résidence royale, la reine accorda la distinction chevaleresque à son vis-à-vis du continent.

« Par cet ordre, je vous nomme chevalier et défenseur de la Couronne d'Angleterre, d'Écosse, d'Irlande et de Galles », déclara la reine en remettant les objets symboliques à l'empereur.

Avant de quitter le royaume, le couple impérial se rendit à l'abbaye de Westminster pour se recueillir sur les sépultures de certains souverains de l'île. Par respect pour le règne de ces défunts, le puissant homme foula le sol du monastère. Le lendemain, 21 avril, le bateau du chef de la Maison de Bonaparte reprit la mer en direction de Calais. La visite officielle fut un succès sur toute la ligne. Tant Londres que Paris se félicitaient du résultat obtenu.

Il n'y avait aucun doute sur la réussite de l'alliance entre les deux pays.

Les semaines suivantes, une correspondance de plus en plus croissante s'échangea entre les nouvelles amies. Victoria et Eugénie se racontaient leur vie dans les moindres détails. Âgée de trente-six ans, la reine comptait deux véritables et fidèles amies : Alexandra Spencer, comtesse d'Essex, et Eugénie de Montijo, impératrice des Français.

Très rapidement, Victoria et Albert acceptèrent l'invitation de Napoléon III à se rendre à Paris. La tenue de l'Exposition universelle, dans la capitale française, était le prétexte idéal pour le déplacement du couple royal sur le continent. Pour l'occasion, ils décidèrent d'amener le cadet de leurs enfants avec eux. En août, le navire de la souveraine britannique quitta la côte sud de l'Angleterre pour se diriger vers le nord de la France. La reine se réjouissait de revoir l'épouse de son allié. En un court laps de temps, les deux femmes avaient réussi à rédiger une tonne de lettres sans jamais réduire la cadence. Loin du regard de ses sujets, Victoria pourrait se détendre en compagnie de son mari. Elle avait même envisagé de louer une aile dans un château, en périphérie de Paris, le temps de reprendre des forces avant le début de l'automne.

« Mon chéri, croyez-vous que la France m'aimera ? » questionna la reine, assise sur le bord de son lit alors qu'elle retirait une boucle d'oreille en diamant.

« L'empereur et surtout l'impératrice n'ont que de bons mots à votre égard. N'est-ce pas là le plus important ? » répondit Albert en détachant les boutons de sa chemise.

« Vous avez sûrement raison, mon prince », dit-elle en se couchant sous les draps en satin.

Seuls dans la cabine de l'embarcation, les deux amoureux se démontrèrent les sentiments qu'ils avaient l'un pour l'autre. Ils étaient mariés depuis quinze ans et la flamme du début de leur relation ne s'était jamais éteinte. Au contraire, plus le temps passait, plus le couple royal s'adorait. Albert n'avait en aucun cas essayé ou même songé à avoir des amours adultères. Il était éperdument épris de son épouse et cette dernière le lui rendait bien. L'infidélité, pourtant très répandue dans les cours européennes, ne faisait pas partie de l'existence de Victoria et d'Albert. Certes, le roi des Belges – oncle de ces derniers – avait poussé son neveu vers sa nièce, mais l'amour avait fait son nid bien avant que le monarque du petit pays pût intervenir plus directement.

∅

Eugenia Palafox de Guzmán-Portocarrero, plus connue sous le nom d'Eugénie de Montijo, était d'origine espagnole. Née le 5 mai 1826, à Grenade, elle appartenait à une riche famille aristocrate. Son père, un militaire, participa activement à la guerre d'indépendance d'Espagne. L'homme se rangera du côté de la France lors du Premier Empire, sous Napoléon Ier. Sa mère, une descendante de la noblesse écossaise, consacrera son existence à éduquer ses enfants et à appuyer son époux dans ses fonctions de comte de Teba. La jeune Eugénie recevra une éducation sévère, dans la plus pure tradition chrétienne, au couvent du Sacré-Cœur. Soucieuse de s'unir à l'un des meilleurs hommes de l'Europe, elle fréquentera régulièrement les soirées mondaines. Lors d'une de ces réceptions, elle fera la connaissance du futur Napoléon III. Très rapidement, l'empereur des Français l'épousera, en 1853, à la basilique Notre-Dame de Paris. Pour souligner ce mariage historique, le Conseil municipal de la capitale offrira un collier d'une valeur inestimable à la nouvelle impératrice. Cette dernière refusera le bijou et proposera plutôt de le vendre afin de financer la construction d'une école pour filles pauvres. Par la suite, Eugénie essayera d'aider son pays d'adoption sur les plans humanitaire et social.

∅

Le bateau du couple royal accosta au port de Cherbourg deux jours après avoir quitté la Grande-Bretagne. Des curieux s'étaient massés au bord de la rive dans l'espoir de voir la souveraine. Victoria et Albert furent accueillis par le président de la Chambre haute du Parlement français. L'individu, un ancien soldat ayant perdu une jambe lors d'une mission dans le nord de l'Afrique, avait été mandaté par l'empereur.

« Madame, au nom de Sa Majesté Impériale, je vous souhaite la bienvenue en France. Sachez que l'empereur attend votre présence à Paris avec un bonheur non dissimulé », annonça le politicien en faisant une révérence à l'étrangère.

Contrairement à la visite de Napoléon en Angleterre, aucune activité ne fut planifiée avant l'arrivée de la reine dans la capitale. Le chef de la Maison de Bonaparte et son épouse avaient envisagé de concentrer le séjour de leurs invités sur l'Île-de-France, dans la région de Paris. N'était-ce pas là que se déroulerait l'Exposition universelle ?

Le cortège transportant la reine et le prince consort arriva, sans anicroche, devant le palais des Tuileries. Véritable bâtiment historique, cette résidence avait servi de siège au pouvoir, sous le règne de plusieurs rois et empereurs. Moins imposante que le palais de Buckingham, l'édifice n'en demeurait pas moins impressionnant. Devant l'entrée principale, une cavalerie d'une trentaine d'hommes en uniforme noir attendait le carrosse de la puissante femme. Lorsque le véhicule s'immobilisa, un valet ouvrit l'une des portières. Albert sortit le premier, puis il tendit la main à son épouse pour l'aider à descendre de la berline. Un long tapis rouge se dressait devant eux, au bout duquel se tenait le couple impérial. Les dignités britanniques avancèrent jusqu'à Napoléon III et Eugénie. L'impératrice était magnifique dans sa robe mauve foncé. Elle avait relevé ses cheveux noirs en un chignon. L'empereur, comme à son habitude, arborait une moustache fine et pointue.

« Au nom de l'Empire français, je suis heureux d'accueillir, pour la première fois en plus de quatre cents ans, la reine des pays du Nord », déclara Napoléon III en déposant un baiser sur le gant de la souveraine.

Aussitôt, Eugénie embrassa tendrement son amie sur la joue. Le geste familier fit sursauter les politiciens rassemblés autour d'elles. L'impératrice se moquait bien du jugement des autres à son égard. Elle était trop heureuse de revoir Victoria et n'allait pas s'empêcher de le lui démontrer en public. Un peu plus réservée, la reine accepta tout de même l'affection de son amie.

« Ma chère, que je suis enchantée de vous compter parmi nous », s'exclama Eugénie.

« Moi de même, mon amie », répondit Victoria en posant sa main sur celle de l'impératrice.

Au cours de la journée, pendant qu'une gouvernante s'occupait du jeune Leopold, Eugénie fit visiter les ailes du palais des Tuileries à la souveraine. Décoré dans un style Second Empire, l'endroit ressemblait plus à un hôtel parisien qu'à une résidence officielle. Par politesse envers son hôtesse, Victoria se tint de lui dire qu'elle ne partageait pas son opinion quant à la beauté des lieux. Aussi l'impératrice semblait-elle si gaie de passer du temps avec la reine du pays voisin.

« Dites-moi, où résidez-vous lorsque vous êtes à l'extérieur de Paris ? » interrogea Victoria.

« Nous avons quatre châteaux répartis sur le territoire », dit Eugénie en poursuivant la visite de la demeure.

« Vraiment ! Où préférez-vous passer les vacances d'été ? » demanda la reine en suivant la cadence de l'impératrice.

« Nous aimons bien Fontainebleau. »

« Oui, l'escalier en forme de fer à cheval », déclara la souveraine.

Après ce petit tour guidé, les deux femmes décidèrent d'aller rejoindre leurs époux au grand salon. Au bout d'un couloir, en tournant, elles aperçurent l'empereur en compagnie d'une jeune demoiselle. Ce dernier semblait regarder l'inconnue avec convoitise. Ne se doutant pas qu'il était vu de son épouse, Napoléon glissa sa large main dans le corset de la courtisane. Il essaya, malgré l'étroitesse du vêtement, de palper les seins de la brunette. Témoins de la scène, Victoria et son amie prirent un couloir adjacent. Jamais la souveraine n'avait vécu pareille situation en Grande-Bretagne. Elle fixa le visage de l'impératrice et aperçut des larmes couler le long de ses joues. Son cœur se serra de voir Eugénie aussi triste.

« Est-ce la première fois que Sa Majesté Impériale agit de la sorte ? » demanda l'invitée de marque en craignant la réponse de son amie.

L'impératrice éclata brusquement en sanglots devant Victoria. Elle voulait garder ce mal à l'intérieur d'elle, mais la douleur était trop vive. Elle n'en pouvait plus de vivre ses émotions. Elle avait honte d'avoir été traitée de cette manière par l'homme de sa vie.

« Mon amie, je souffre depuis le jour de notre mariage… », lança-t-elle d'une voix chagrinée.

« Confiez-vous à moi. »

Debout devant une statue en marbre blanc, l'impératrice tremblait de tout son être. Elle n'avait jamais dévoilé son état d'âme à qui que ce soit. Se sentant en confiance, elle décida de s'ouvrir à la souveraine.

« Le soir de notre union devant Dieu, l'empereur a découché une partie de la nuit. Le lendemain, j'ai su que Sa Majesté Impériale avait partagé le lit d'une de mes dames de compagnie », avoua Eugénie en essuyant les larmes sur son visage.

« Abominable, ce geste ! » laissa échapper Victoria.

« Napoléon a récidivé par la suite. Ici, à Fontaine-bleau, à Compiègne et ailleurs également. De mauvaises langues racontent qu'il aurait des enfants illégitimes un peu partout dans l'Empire. Imaginez ma honte lorsque j'entends ces ragots bruire des salons d'aristocrates ? »

Victoria n'en croyait pas ses oreilles. Son allié politique était un homme infidèle qui faisait souffrir son amie. Elle savait que le sexe masculin était généralement incapable de se contenter d'une seule femme, mais ne se doutait pas que Napoléon III était de ceux-là.

« Je vais lui dire ma façon de penser ! » dit la reine à voix haute.

« Ne dites pas ces mots ! Il pourrait nous entendre… », chuchota Eugénie en regardant autour d'elles.

« Comment pouvez-vous tolérer cela ? » demanda Victoria un peu sous le choc.

« Je n'ai guère le choix ! Si Sa Majesté Impériale se lasse de moi, elle pourrait me répudier sous prétexte que je n'ai pas donné naissance à un héritier. »

La souveraine saisissait l'ampleur du drame si Eugénie affrontait l'empereur. La jeune femme n'était nullement en position de se soulever contre le puissant homme. Il n'existait donc aucune issue honorable pour elle.

« Si vous accouchiez d'un garçon, peut-être Napoléon se sentirait-il obligé de vous être fidèle ? » proposa la reine sans vraiment croire ce qu'elle avançait.

« Absolument ! Vous avez raison… S'il devient père, l'empereur vivra un véritable dilemme », répondit-elle en souriant devant la solution de son amie.

Pourtant, rien n'était plus incertain. Encore fallait-il que l'impératrice soit capable d'enfanter. Jusqu'ici, toutes les tentatives de grossesse avaient lamentablement échoué. L'infertilité avait touché plusieurs des femmes de la famille d'Eugénie, et cela, depuis plus d'une génération. Le Tout-Puissant avait-il épargné l'amie de la reine ?

Après cette discussion, les femmes reprirent la direction du grand salon où les attendaient leurs maris. En voyant son épouse, Albert lui fit un sourire amoureux. Même avec les années, il trouvait que la beauté de sa douce ne s'était en rien ternie. Certes, la reine avait pris un peu de poids – en raison de ses nombreux accouchements – mais elle n'en demeurait pas moins une jolie femme. Lorsque Victoria pénétra dans la splendide pièce, elle ne put s'empêcher de revoir la scène intime à laquelle elle avait assisté. Son opinion vis-à-vis de l'empereur venait de changer radicalement. Par ailleurs, elle ne pouvait le démontrer au risque de porter préjudice à son amie.

« Votre Majesté, que pensez-vous du palais des Tuileries ? » lança Napoléon en tenant un verre de vin à la main.

« Étonnant ! La résidence regorge de pièces splendides. Il est même surprenant de voir ce qu'on peut trouver dans certaines parties du bâtiment, en particulier dans les couloirs », précisa la souveraine sans entrer dans les détails.

Eugénie sentit son cœur faire trois tours tant elle avait eu peur que la reine la trahisse. Soulagée, elle laissa un léger soupir sortir de sa bouche puis fit un clin d'œil discret à la reine en signe de complicité. Victoria rejoignit son époux et l'impératrice fit de même de son côté. Les deux couples passèrent des heures à discuter de sujets personnels et de politique étrangère. La guerre contre les Russes fut au menu des échanges.

Le lendemain, les quatre dignités se rendirent à l'Exposition universelle qui se tenait sur les Champs-Élysées, au cœur de la capitale. À l'image de l'édition précédente, celle de Paris était réussie, voire encore plus grandiose. Entre 1851, année de fondation de l'événement, sous la direction du prince Albert, et 1855, la popularité de l'événement prit une ampleur considérable. Sous le thème « Agriculture, Beaux-arts et Industrie », tout semblait attirant pour les visiteurs curieux. Une panoplie de structures, plus avant-gardistes les unes que les autres, abritaient les multiples technologies des dernières années.

Pendant les deux semaines suivantes, le couple royal se retira au château du Marais, au sud-ouest de la plus importante ville de France. Les deux amoureux avaient besoin de se reposer, loin de l'action parisienne. Pendant leur séjour sur le continent, ils reçurent la visite de l'impératrice et de certains membres de la Maison de Saxe-Cobourg-Gotha. Plus près de son pays d'origine, le prince consort était enthousiasmé de revoir sa famille. Ayant peu de domestiques à leur service, Victoria et son époux avaient l'impression de vivre comme de simples aristocrates. La situation amusait la femme, car elle ne s'était jamais retrouvée avec une poignée de servantes. Au palais de Buckingham, des dizaines de gens fourmillaient dans la résidence officielle.

« Albert, si vous ne m'aviez pas épousée, qu'auriez-vous fait de votre vie ? » demanda Victoria, assise sur l'herbe fraîche du palais.

« Je vous avoue que j'ignore la réponse… Par contre, je n'aurais en aucun cas connu un amour aussi fort qu'en ce moment », dit l'homme en serrant sa femme contre lui.

Sous un coucher de soleil, ils s'embrassèrent avec passion. Un petit vent frisquet souffla sur leur visage. Pendant que leur fils, le prince Leopold, dormait tendrement dans son lit, les deux parents appréciaient leur moment de tranquillité. Ils s'étaient si peu retrouvés seuls depuis la naissance de leur progéniture. Loin des agitations causées par leurs responsabilités, la reine et le noble profitèrent de l'occasion pour s'enlacer un long moment.

« Vous, qu'auriez-vous fait si Dieu ne vous avait pas choisie pour occuper le trône de vos ancêtres ? » interrogea le prince à son tour.

Jamais la souveraine ne s'était posé cette question avant aujourd'hui. En vérité, elle ne savait pas si elle aurait été capable de faire autre chose que régner. Tant de générations avant sa naissance avaient porté la couronne de saint Édouard. Pourtant, si ses oncles avaient eu des héritiers, elle n'aurait pas occupé la position de reine d'Angleterre. Plus elle réfléchissait, plus la puissante femme en vint à la conclusion qu'aucune réponse ne lui venait en tête.

« Je ne sais pas ! Probablement que nous nous serions mariés et que nous passerions des soirées entières à nous asseoir devant un merveilleux coucher de soleil. »

Les propos amusèrent Albert et il ne put faire autrement que de serrer son épouse dans ses bras. Le noble remercia le Tout-Puissant de lui avoir donné une compagne comme Victoria. Il l'aimait plus que tout au monde. Lorsque la lumière disparut du ciel, le couple royal se précipita vers ses appartements privés. La reine mourait d'envie de se retrouver sous les draps avec son prince. Toute la nuit, ils firent l'amour sans s'arrêter. Une excitation s'était emparée de leur corps. L'homme déposa des baisers à répétition sur les cuisses et les seins de la souveraine. La blancheur de la peau de sa douce faisait naître en lui un désir incroyable. Il adorait les rondeurs de la mère de ses enfants. Avec ses mains chaudes, il effleurait chaque partie de l'anatomie de Victoria. Il approcha son nez des cheveux foncés de son épouse et aspira l'odeur parfumée qui s'en dégageait. Des frissons, par dizaines, traversèrent le corps de la souveraine. Au terme de leurs ébats, la reine, satisfaite, se laissa choir sur le lit humide de leurs caresses.

À la fin d'août 1855, le couple royal et leur fils cadet retournèrent en Grande-Bretagne. La reine et le prince consort, remplis de bonheur de retrouver leurs enfants, décidèrent de partir une semaine au château de Windsor. Les jeunes princes et princesses s'étaient énormément ennuyés de leurs parents. Ils avaient besoin de renouer avec eux. Avant de quitter la France, Victoria avait reçu un cadeau des mains d'Eugénie. Sachant l'intérêt que portait son amie pour la lecture, l'impératrice lui remit un livre ayant pour titre *Les fables de La Fontaine*. Le recueil contenait de nombreuses courtes histoires. La souveraine prit l'initiative de lire chaque soir un passage différent à sa progéniture.

À Noël, alors que la neige recouvrait le sol gelé du royaume, un messager se rendit sur l'île de Wight. Il devait livrer une lettre au manoir de la puissante femme. Le document fut remis, comme il se devait, à Victoria. La missive était cachetée du sceau impérial français. Intriguée, la reine l'ouvrit sans attendre.

Chère amie,

Depuis peu, j'ai été informée d'une nouvelle des plus réjouissantes pour Sa Majesté Impériale et moi. Après d'innombrables prières sincères, le Tout-Puissant a réalisé mon vœu le plus attendu. Une fierté immense s'empare de moi à l'écriture de cette lettre. Un heureux événement est prévu pour ce printemps. Je suis comblée de vous annoncer que je porte le fils de l'empereur. Un héritier pour le trône des Bonaparte vit en moi actuellement. J'espère que le Seigneur nous protégera, lui et moi, durant ma grossesse.

Votre affectionnée amie,

Eugénie

Victoria ressentit une joie sincère à l'idée de la venue au monde d'un petit prince français. Elle ne voulait que le bonheur de l'impératrice et savait plus que quiconque ce que vivait son amie. L'infidélité de Napoléon III l'avait détruite à petits feux. L'espoir d'accoucher d'un garçon redonnait de la détermination à l'épouse du puissant homme. Victoria fit part de l'information à Albert. Ce dernier se réjouit également de la nouvelle de leurs amis du continent.

Le 16 mars 1856, Eugénie donna naissance à l'héritier tant attendu du couple impérial. Prénommé Louis-Napoléon, le bébé eut l'effet espéré par l'impératrice. Dès que l'empereur vit son fils, il cessa de s'entourer de maîtresses. Il se consacra entièrement à son épouse et à leur descendant. La famille impériale de France semblait s'être retrouvée grâce à l'arrivée du nouveau membre de la Maison de Bonaparte. Pour les féliciter, Victoria et Albert envoyèrent une montagne de jouets au nourrisson. Afin de souligner la présence de la Grande-Bretagne lors du baptême religieux du jeune prince, le couple royal désigna un émissaire pour les représenter auprès des nouveaux parents. Le rôle fut occupé par la comtesse d'Essex, fidèle amie de la souveraine. Alexandra Spencer accepta avec une certaine fierté le mandat accordé par la reine. En la choisissant, Victoria reconnaissait publiquement que cette dernière avait toute sa confiance. Ce geste ne passa pas inaperçu aux yeux des ennemis de la Couronne britannique. Pour eux, la souveraine mêlait amitié et devoir envers le royaume. Il aurait été plus préférable, au dire des mauvaises langues, que la reine envoie son ambassadeur.

DEUXIÈME PARTIE

Les années sans le prince Albert

CHAPITRE VII
La veuve de Windsor

Château de Windsor, 1857-1861

LA REINE tomba enceinte pour la neuvième fois depuis son mariage avec le prince consort. Âgée de trente-huit ans, elle vécut sa grossesse avec davantage de complications que les précédentes. Son corps, fatigué par les années, ne semblait plus aussi solide qu'auparavant. La puissante femme ressentait régulièrement des douleurs insoutenables au ventre. L'état de santé de la souveraine inquiétait profondément son époux. Il convainquit Victoria de se retirer au château de Balmoral, en Écosse, pendant quelques semaines. Elle accepta, à contrecœur, de s'y rendre. Pendant cette absence de la capitale, Albert essaya d'exercer certaines de ses prérogatives royales. Malheureusement, ne portant pas le titre de monarque, le noble germanique était limité dans ses interventions. Les enfants royaux, pour leur part, restèrent avec leur père au palais de Buckingham. Pour l'aider dans ses tâches, le prince consort demanda à sa fille aînée de s'occuper des plus jeunes. La princesse Victoria, à l'aube de ses seize ans, était sur le point de quitter la résidence familiale. Depuis peu, des rumeurs circulaient quant à une possible relation secrète entre ell et l'héritier de Prusse. En vérité, il existait bel et bien des sentiments entre les deux jeunes gens.

Le 14 avril 1857, après un accouchement long et souffrant, la reine donna naissance, au milieu de la nuit, à un bébé de sexe féminin. Une armée de médecins et de servantes l'entourait dans ses appartements privés du palais de Buckingham. Car une semaine auparavant, Victoria avait décidé de retourner à Londres, auprès de sa famille. Patientant dans l'antichambre, Albert et la duchesse de Kent avaient entendu les cris de douleur de la souveraine durant de longues heures. À plus d'une reprise, l'époux aurait voulu défoncer les portes pour secourir sa bien-aimée, mais il savait qu'il ne pouvait rien faire dans cette situation.

« Votre Altesse Royale, la mère et l'enfant se portent bien », s'exclama le plus vieux des praticiens en s'épongeant le front.

« Mes félicitations, mon cher Albert ! » dit la duchesse.

Sans tarder, le père se dirigea vers la souveraine pour la serrer dans ses bras. Il ne put s'empêcher de remarquer l'extrême fatigue sur le visage de Victoria. Elle avait tout donné pour offrir ce bébé au trône royal de ses ancêtres. Les larmes aux yeux, l'homme embrassa tendrement son épouse.

« Ma douce, vous avez encore réussi à me combler de bonheur. Je suis l'époux le plus choyé de la planète », chuchota-t-il dans le creux de l'oreille de Victoria.

Debout, près d'un meuble ancien, la duchesse de Kent regarda sa fille avec fierté. Celle-ci lui avait donné neuf petits-enfants merveilleux. La mère de la reine avait échoué auprès de sa progéniture lorsqu'elle était encore jeune en palliant mal l'absence du père. Une fois grand-mère, elle avait pu laisser vivre en elle son instinct maternel. De façon régulière, elle rendait visite aux princes et aux princesses de la Cour royale.

Un mois après sa naissance, le poupon reçut le premier sacrement au sein de l'Église anglicane. Les parents choisirent de lui donner le prénom de Beatrice. Lors d'une discussion, Victoria et Albert convinrent que l'état de santé de la reine ne lui permettait plus d'enfanter. Sa vie même en dépendait, au dire des médecins les plus compétents.

« Ma chérie, nous avons quatre fils robustes. Je crois que l'avenir de la dynastie est plus qu'assuré », avait déclaré le prince pour soulager le poids qui pesait sur les épaules de sa bien-aimée.

« Vous avez raison, si j'ai été capable de régner jusqu'ici sur la Grande-Bretagne, ils le pourront également », fut la réponse de la femme.

Trois mois après la venue au monde de la jeune princesse, la famille royale reçut la visite officielle de

Frédéric Guillaume de Hohenzollern, prince de Prusse. Le jeune noble espérait demander la main de l'aînée de la souveraine. Il voulait se marier avec la princesse afin de donner une lignée à son pays. Pour l'occasion, il fut logé au château de Windsor. De belle apparence, l'homme correspondait aux critères des parents de l'aînée. Comme l'exigeait la tradition, il se rendit auprès de la reine pour demander la main de sa fille.

« Votre Majesté, depuis maintenant plus de six mois, je me suis épris de Son Altesse Royale. Mon cœur bat à tout rompre pour la princesse et, sans prétention, je crois qu'elle est amoureuse de moi », déclara Frédéric de Hohenzollern en regardant la souveraine et Albert.

« Effectivement, nous devons admettre que notre Victoria semble manifester des sentiments à votre égard », répondit la reine en fixant un portrait de sa famille trônant sur l'une des tables de la pièce.

Il fut décidé par la Cour royale de Grande-Bretagne et par celle de Prusse que le mariage aurait lieu le 25 janvier 1858. La cérémonie devait se dérouler sur le continent, en présence des parents du marié. Les futurs époux, de confession protestante, n'étaient pas dans l'obligation de changer de religion. Pour représenter la reine, le prince consort devait se déplacer vers le pays de son gendre. La jeune Victoria jubilait à l'idée de devenir l'épouse du futur monarque germanique. Certes, l'idée de quitter le royaume lui déchirait le cœur, mais elle savait qu'un avenir extraordinaire l'attendait.

Une semaine avant l'événement, la princesse se préparait pour sa nouvelle vie. Seule dans sa chambre, elle regardait par l'une des fenêtres de ses appartements privés. Tant de souvenirs lui revenaient en mémoire. Des moments joyeux comme lorsqu'elle avait reçu un poney pour son dixième anniversaire ou encore lors des vacances au château de Balmoral. Des souvenirs, moins gais, se présentèrent également à son esprit. Parmi eux, le jour d'été où une guêpe – énorme, selon l'enfant – lui avait piqué le bout du pouce. À n'en pas douter, la jeune Victoria avait passé une jeunesse incroyable. Son île allait lui manquer au plus profond de son âme. Elle se jura de revenir régulièrement auprès des siens lorsque ses responsabilités le lui permettraient. Le matin de son départ, la fille du couple royal salua chacun de ses frères et sœurs. Les larmes aux yeux, ces derniers la supplièrent de ne pas les abandonner. Remplie de chagrin, la fiancée retint la tristesse qui l'étreignait.

« Ne soyez pas aussi malheureux, nous allons nous écrire… Nous nous reverrons dès que nous le pourrons », dit-elle, angoissée par l'inévitable séparation.

Par la suite, la princesse descendit au rez-de-chaussée pour avoir un entretien avec ses parents. Debout devant le foyer en pierre d'un des petits salons, Albert avait le cœur gros de voir sa progéniture s'éloigner. En père protecteur, il aurait préféré garder ses enfants auprès de lui. Mais comme chaque personne a son propre destin, il en était de même pour les membres de la famille royale de Grande-Bretagne. Assise dans un divan aux teintes multicolores, la souveraine comprenait que le mariage n'était qu'une étape comme les autres. Mariée depuis presque deux décennies, jamais elle ne l'avait regretté. Lorsqu'elle entra dans la pièce, la jeune Victoria se dirigea aussitôt vers son père qu'elle embrassa avec tendresse.

« Cher père, vous avez été le meilleur du royaume. Votre gentillesse sera ce qui me manquera le plus de vous », déclara sa fille en lui souriant.

« Vous êtes la plus jolie demoiselle de tout l'Empire. N'oubliez jamais que je vous aime », répondit le noble en lui déposant un baiser sur le front.

Après ce geste, la princesse s'avança vers sa mère. Les yeux rougis par l'émotion, la reine ouvrit les bras pour serrer son enfant. Elle l'avait portée dans ses entrailles pendant neuf mois et voilà qu'après dix-sept ans la jeune femme allait voler de ses propres ailes.

« Ma chérie, je suis peinée que vous nous quittiez... Soyez assurée que votre bonheur nous tient à cœur. Si vous avez besoin de quoi que ce soit, n'hésitez en aucun moment de nous le faire savoir », s'exclama Victoria en flattant avec douceur la joue de sa fille.

La tête contre la poitrine de sa mère, la jeune Victoria sentait pour la dernière fois son parfum. Cette odeur sucrée lui resterait gravée pour toujours dans la mémoire. La souveraine représentait pour elle un authentique modèle, et la fiancée espérait suivre son exemple.

« Mère, je ferai tout mon possible pour vous rendre fière de moi », jura solennellement la princesse.

« Depuis longtemps, vous m'avez comblée de satisfaction », répliqua la souveraine en lui faisant un clin d'œil.

Sous une tempête hivernale, le cortège de la princesse quitta la cour intérieure du palais de Buckingham. Accolés aux fenêtres de la résidence, les enfants royaux regardèrent le véhicule s'éloigner. Tous pleuraient de voir leur sœur prendre le chemin du continent. Sur son banc en cuir, la fiancée versait quelques larmes pour les mêmes raisons qu'eux.

La fille aînée de la reine Victoria épousa, comme prévu, le prince Frédéric de Prusse. La cérémonie se déroula sans anicroche, à la plus grande joie de la Maison de Hohenzollern. Albert, accompagné de l'héritier britannique, assista à l'union de sa fille avec le futur souverain germanique. Le dauphin était émerveillé de pouvoir admirer la cérémonie. Il savait que son tour viendrait dans un proche avenir. Étant le successeur de la souveraine, le jeune Albert n'avait d'autre choix que de suivre les pas de ses ancêtres.

L'année 1859 fut celle la plus agitée sur le plan politique durant le règne de la puissante femme. Certes, elle avait vécu la période houleuse de la « Crise de la chambre à coucher » mais, avec l'aide de son époux, elle avait redonné de la noblesse à la monarchie par la suite. Le problème qui survint en 1859 au Parlement ne la concernait pas directement. De mauvaises décisions politiques et des manigances dans les coulisses forcèrent la démission de certains parlementaires ou furent la cause de leur défaite électorale. Henry John Temple perdit sa crédibilité lors d'un conflit et dut quitter son poste de premier ministre en 1858. Il fut remplacé par Edward Smith-Stanley le lendemain de son départ. Coup de théâtre, un peu plus d'un an après son accession à la tête du gouvernement, celui-ci se fit renverser par le précédent dirigeant. Lord Palmerston revint en force comme chef du Parti libéral. Dans ce cirque parlementaire, Victoria dut garder un certain contrôle de l'institution. L'une de ses principales prérogatives royales était de s'assurer que le pays ne souffre pas des joutes politiques qui s'y déroulaient.

« De véritables petits garçons ! » dira la reine devant ces jeux de pouvoir.

Après l'entrée en fonction d'Henry John Temple pour un deuxième mandat, la stabilité regagna le royaume. Soulagée que la situation se soit régularisée, la souveraine retourna avec Albert sur l'île d'Irlande. Ils passèrent quelques semaines à Killarney, dont plusieurs jours en présence de leurs amis, le comte et la comtesse d'Essex. Loin de Londres, le couple royal en profita pour se retrouver. Le mariage de leur fille et les déboires des politiciens les avaient occupés pendant de longs mois. L'occasion était idéale pour se consacrer uniquement l'un à l'autre. À l'aube de la quarantaine, ils n'étaient plus aussi énergiques que par les années passées. Ces moments de ressourcement étaient devenus essentiels pour leur santé physique et mentale.

La famille royale sera de nouveau réunie lors des vacances de Noël 1859. Près de deux ans après son mariage, la princesse Victoria, accompagnée de son époux, visitera la Grande-Bretagne. Comme l'obligeait la tradition établie par Albert, tous se retrouvèrent au manoir Osborne, sur l'île de Wight. Endroit totalement isolé de l'action de la capitale, les parents et leurs enfants pouvaient se détendre loin du regard des curieux. Seulement une cinquantaine de domestiques et de soldats travaillaient au petit château.

ℐ

Le manoir Osborne fut construit expressément pour Victoria et Albert quelque temps après leur mariage. Le couple royal avait le projet de posséder un endroit loin de la vie mouvementée de la capitale britannique. Les deux amoureux feront ériger un bâtiment d'une architecture peu commune à l'époque. Afin de s'assurer d'un dépaysement total, le prince optera pour un style italien. Entourée de forêt et isolée des voisins, la résidence permettait au couple royal de se soucier très peu des mauvaises langues. La puissante femme et son mari y passeront chaque fin d'année. Les aristocrates – souvent adeptes des ragots – avaient surnommé l'endroit « nid d'amour ». Quoi qu'il en soit, Victoria et Albert apprécieront leurs escapades sur l'île de Wight, au sud de l'Angleterre.

✍

Un soir enneigé, assis près d'une fenêtre dont l'un des carreaux était fissuré, Albert se frotta la gorge. Particulièrement sensible à cet endroit du corps depuis quelques jours, il décida de se tâter le cou. La paume de sa main y sentit une légère enflure. Curieux, il déplaça ses doigts sur la petite bosse afin d'en vérifier l'ampleur. Elle lui semblait plutôt anodine et sans importance. L'époux de la souveraine ne s'y attarda donc pas davantage.

Deux jours plus tard, lors d'une partie de cartes en famille, Victoria remarqua le cou de son bien-aimé. Elle fut intriguée par cette protubérance de couleur rouge.

« Mon chéri, que vois-je sur votre gorge ? » interrogea-t-elle en tenant trois cartes entre ses mains.

« Ce n'est rien... Cela est apparu depuis peu... Je suis persuadé que tout aura disparu d'ici la fin de la semaine », répondit le prince en poursuivant son jeu.

La souveraine, malgré sa curiosité, n'insista guère. Les membres de la famille royale étaient trop heureux de se retrouver pour s'attarder à ce genre de détails insignifiants.

À la fin de la saison froide, le couple royal entama une tournée de la Grande-Bretagne. Victoria souhaitait visiter son peuple pour connaître son humeur. Elle savait que la monarchie ne pouvait vivre sans l'appui indéfectible des habitants du royaume. La reine et son mari se rendirent tout d'abord dans le duché de Cornouailles. Il était primordial de visiter cette région, car elle appartenait aux biens de la Couronne. La coutume voulait que l'héritier du trône obtienne cette partie de l'Angleterre à sa majorité. Le 10 mars 1860, le cortège royal arriva sur les lieux. La reine fut accueillie par les lords-maires des villes et villages du secteur. Plusieurs activités furent organisées pour souligner la présence des dignités. Tout se déroula à la perfection, et l'image de la royauté gagna en popularité. Les aristocrates renouvelèrent avec conviction leur loyauté envers leur maîtresse. Rien ne semblait ébranler le bonheur qui régnait au sein de la monarchie.

L'arrêt suivant était prévu sur les îles anglo-normandes, non loin de la France. Dépendances du royaume depuis plusieurs siècles, ces archipels n'avaient jamais reçu la visite officielle de la reine. Alors que Victoria et Albert assistaient à un banquet en l'honneur des insulaires dans un manoir de l'époque de la Renaissance, le prince fut pris d'un malaise. Un étourdissement violent lui fit perdre conscience. Allongé sur le plancher de la salle à manger, Albert ne bougeait plus.

« Mon chéri ! » s'écria Victoria devant l'effroyable scène.

Aussitôt, un médecin qui se trouvait parmi les invités s'avança nerveusement vers l'homme souffrant. Il déclina son identité, au grand soulagement de la puissante femme, et se pencha sur le corps du malade. Le praticien exigea que les curieux s'éloignent du prince consort. Il détacha la chemise du noble et vérifia son pouls. En approchant ses doigts du cou d'Albert, il remarqua la bosse que ce dernier avait sur la gorge. L'homme de science scruta l'enflure et constata la gravité de la situation.

« Madame, je ne suis pas équipé pour valider mon diagnostic… Mais je crois que Son Altesse Royale a une tumeur cancéreuse », déclara le médecin en appréhendant la réaction de la souveraine.

« Cela est impossible ! » hurla-t-elle en se jetant en pleurs sur le plancher en marbre.

La réaction de Victoria ne passa pas inaperçue aux yeux des dizaines de convives rassemblés dans le manoir. Chagrinés de voir leur maîtresse dans ce triste état, ils se retirèrent l'un à la suite de l'autre. Les aristocrates avaient compris que leur présence n'était plus de mise. Bientôt seule avec une poignée d'hommes, Victoria espérait que les paroles du praticien ne fussent que des mensonges.

« Agissez ! Réveillez le prince, je vous en prie », s'exclama la reine en regardant le visage de son époux.

« Votre Majesté, nous devons transporter le malade vers un hôpital de l'île », déclara le médecin.

Sans perdre un instant, la souveraine ordonna qu'on transporte son mari vers la ville la plus près. Tout le long du trajet, elle resta à ses côtés.

« Albert, réveillez-vous ! » dit-elle pour sortir le prince de son mutisme.

Rien. Le prince semblait plongé dans un sommeil profond. Il respirait et son cœur battait, mais il ne reprenait pas conscience. La souveraine, les yeux remplis d'eau, priait le Tout-Puissant d'intervenir en sa faveur. Soudain, il y eut un bruit sourd. Intriguée par ce son, Victoria chercha d'où il pouvait provenir.

« Ma dou… douce ! » dit Albert avec grand-peine.

L'épouse, avec un regain d'espoir, s'approcha du visage de son bien-aimé. Il était de nouveau parmi les vivants.

« Albert ! Vous m'avez fait une peur bleue », dit à voix basse la puissante femme en caressant les cheveux du prince.

« Pourtant, vous ne craignez rien en temps normal », répliqua-t-il sur un ton taquin.

Allongé sur le banc de la berline noire, l'homme semblait reprendre une certaine vitalité. Il pouvait bouger les membres de son corps, mais il ressentait une douleur atroce au cou.

« Mon chéri, nous avons été imprudent quand nous avons constaté cette vilaine bosse. Le médecin croit que vous avez une tumeur cancéreuse. Selon moi, il se trompe », déclara Victoria, un peu anxieuse.

« Ne vous faites pas de mauvais sang, je suis persuadé qu'il me guérira par ses soins », répondit le malade en souriant pour masquer son inquiétude.

Au bout d'un quart d'heure, le carrosse arriva devant un hôpital de la ville. Albert, aidé de deux individus costauds, marcha jusqu'au cabinet du praticien. Sur place, quatre médecins auscultaient le prince consort. L'enflure de son cou les préoccupa grandement. Ils l'examinèrent attentivement à l'aide d'instruments médicaux. Pendant ce temps, Victoria attendait, impatiente, dans un petit salon sombre. Incapable de rester immobile, elle se leva et fit les cent pas dans la pièce. Elle détestait ne pas maîtriser la situation. Elle, la femme la plus puissante du royaume, ne pouvait rien accomplir pour aider son époux.

Trois interminables heures passèrent avant que la souveraine ne reçoive la visite d'un des médecins. Lorsque le praticien lui confirma la tumeur cancéreuse d'Albert, elle ne put accepter le verdict de

Dieu. Atteint de cette maladie, le prince verrait sa vie changer de manière radicale.

« Quand cette tumeur cancéreuse disparaîtra-t-elle ? » questionna la reine en s'adressant à l'homme de science.

« Nous ne pouvons le prédire ni vous confirmer qu'elle pourrait un jour s'effacer », annonça l'individu en pesant ses mots.

« Que me dites-vous là ? Vous ne savez même pas si cette bosse restera ou non ? » fulmina Victoria tant l'information la bouleversa au fond d'elle-même.

« Madame, nous ferons tout en notre pouvoir pour sortir Son Altesse Royale de cette angoissante situation », conclut le médecin en s'excusant de ne pas contrôler la maladie du prince consort.

Après cet échange plutôt musclé avec le praticien, la reine retourna auprès de son époux. Il avait le visage pâle et les yeux fatigués : l'examen qu'il venait de subir avait été exigeant pour son corps affaibli.

« Albert, comment vous sentez-vous ? » demanda la souveraine en sachant très bien dans quelle forme il se trouvait.

« Comme au premier jour de notre mariage », s'exclama l'autre en souriant avec maladresse.

Victoria déposa un baiser sur la joue de son bien-aimé. Rien n'allait plus pour le couple royal. Les années de bonheur vécues ensemble venaient d'être sérieusement entachées. Comment passeraient-ils par dessus cette épouvantable épreuve ? Seul le temps le savait.

Pour soulager la souffrance physique du prince consort, la reine décida que celui-ci séjournerait en dehors de la capitale. Le vacarme incessant de la ville et le va-et-vient au palais de Buckingham n'étaient pas propices au repos de l'homme malade. Pendant plus de huit mois, Albert se retira au château de Windsor pour reprendre des forces. Tous les jours, il faisait une promenade d'une heure dans les jardins parfumés de leur résidence. Les fins de semaine, Victoria se rendait auprès de lui. Quant aux enfants, ils visitaient leur père sur une base hebdomadaire afin de ne pas l'épuiser. La reine n'avait plus à cœur de remplir ses fonctions envers la Grande-Bretagne. Elle était très préoccupée par l'état de santé de son époux et était incapable de penser à autre chose.

Désespérée, la souveraine se rendit, sur un coup de tête, à Cantorbéry. Elle voulait se recueillir dans la célèbre cathédrale. Victoria descendit de son véhicule sous une pluie torrentielle. Les branches des arbres ployaient sous le vent déchaîné. Accompagnée d'une dame de compagnie, elle marcha en direction du lieu sacré. De peine et de misère, elle avançait sous la forte intempérie.

« Madame, nous devrions nous rendre au palais de l'archevêque », suggéra la suivante en tenant un parapluie au-dessus de la tête de sa maîtresse.

« Non ! Si vous voulez rebrousser chemin, faites-le, mais moi, je continue », répondit-elle en essayant de voir où elle mettait les pieds.

Victoria pénétra dans le bâtiment religieux avec une indicible difficulté. Protégée de l'orage une fois à l'intérieur, elle replaça sa chevelure ébouriffée. De nombreuses chandelles éclairaient la cathédrale. Des pèlerins les avaient allumées en guise de remerciements au Tout-Puissant.

« Maggie, je vous prie de me laisser seule un instant », ordonna la souveraine.

La dame de compagnie s'assit sur un banc en bois, près des gigantesques portes de l'entrée principale. La reine se dirigea d'un pas léger jusqu'au chœur. Elle prit place sur un banc de la première rangée. Vêtue d'une robe brune trempée par la pluie, elle pria le Seigneur. Oubliant la présence de sa suivante, elle se mit à hurler de douleur. La souffrance l'étreignait depuis près d'une année, sans même lui offrir un moment de répit.

« Pourquoi ? Vous m'avez enlevé mon père et ma fidèle amie, ma confidente… Je vous défends de venir chercher Albert ! » s'écria-t-elle en pleurant à chaudes larmes.

En entendant les propos de sa maîtresse, Maggie ne put que ressentir de la tristesse pour cette dernière. Victoria, pourtant si forte en public, était dévastée par la maladie de son époux. Elle était incapable d'en arrêter la progression. De mois en mois, Albert perdait de sa vitalité, si présente auparavant. Aujourd'hui, la tumeur cancéreuse semblait avoir pris le contrôle du prince consort. Les médecins ne lui en donnaient plus pour très longtemps. Devant cet impitoyable constat, la reine ne pouvait compter que sur l'intervention de Dieu. Après avoir lui crié son horrible douleur, la souveraine reprit la route de Londres en compagnie de sa suivante. Tout le long du trajet, aucune parole ne fut échangée entre elles.

En décembre, malgré sa santé fragile, Albert exigea de réunir la famille royale – à l'exception de la princesse de Prusse, qui était retenue par ses obligations – au manoir Osborne. Certes, la maladie le faisait souffrir atrocement, mais il ne pouvait s'empêcher de perpétuer la tradition. Dans son for intérieur, il savait que ce Noël serait son dernier. Dès la première neige, tous arrivèrent sur l'île de Wight par bateau. Le soir du réveillon, la reine et ses enfants entourèrent le prince consort. Au milieu du salon, l'homme amaigri par le cancer admirait sa progéniture. L'héritier, Albert, était âgé de dix-neuf ans et fréquentait depuis peu une noble du Danemark. Alice, du haut de ses dix-sept ans, était fiancée à un membre de la famille grand-ducale de Hesse. La suivait son frère Alfred, avec ses seize ans. Le cinquième enfant du couple royal, Helena, avait deux années de moins qu'Alfred. Louise, l'avant-dernière fille, n'avait que douze ans. Les princes Arthur et Leopold étaient âgés de dix et huit ans, respectivement. La cadette de la souveraine et de son mari avait seulement quatre ans.

« Mes enfants, vous êtes ce que votre mère et moi avons de plus précieux dans ce monde », lança Albert en s'adressant aux siens.

Après avoir assisté à une messe pour souligner la naissance du Christ, tous étaient revenus à la résidence. Pour l'occasion, la duchesse de Kent participait au dévoilement des cadeaux. Les étrennes étaient une tradition du continent, et Albert l'introduisit dans les coutumes de la Grande-Bretagne et de l'Irlande. Il en fut de même pour le sapin, qu'on décorait de multiples objets scintillants. Depuis deux décennies, cette nouveauté trouvait des adeptes aux quatre coins de l'Empire. Bientôt, l'Angleterre, l'Écosse et le Pays de Galles ne pouvaient passer la période des fêtes sans sapin. Après avoir déballé les présents, tous s'amusèrent pendant une longue partie de la nuit. Les enfants couraient dans les couloirs de la maison alors que les plus vieux dansaient avec la reine et leur grand-mère. Une franche gaieté régnait sur le manoir Osborne.

Au début de l'année 1861, la santé du prince consort se stabilisa temporairement. Les médecins avaient réussi à trouver un remède inconnu des Européens et qui provenait de Chine. La mixture, à base de plantes naturelles, pouvait diminuer la douleur chronique du corps. La maladie, qui touchait le système immunitaire, semblait moins présente. Satisfaite du résultat obtenu, la reine décerna le titre de Sir aux praticiens en guise de courtoisie. S'ils n'avaient pas guéri son époux du cancer qui le tuait graduellement, ils l'avaient au moins soulagé. Un sursis était permis au couple royal et Victoria n'allait pas manquer cette divine occasion.

Le bonheur fut de courte durée pour la souveraine et le reste de la famille royale. Le 16 mars, après soixante-quatorze ans d'existence, la duchesse de Kent mourut. Sans crier gare, le Tout-Puissant rappela à lui la mère de la souveraine. Encore lucide la veille, Victoria de Saxe-Cobourg-Saalfeld rejoignit le prince Édouard, père de sa fille, aux petites heures du matin. Lorsque la reine fut informée du décès, elle se précipita au palais de Kensington. Au deuxième étage, elle se dirigea en toute hâte vers la chambre de la défunte. Elle entra dans la pièce et trouva le corps de celle qui l'enfanta quarante-deux ans plus tôt.

« Mère ! » s'exclama Victoria, les lèvres tremblantes.

Afin de laisser leur maîtresse se recueillir en toute intimité sur la dépouille de la duchesse de Kent, les servantes et le médecin quittèrent discrètement les lieux. Couchée sur les couvertures en soie de son lit, la vieille dame semblait dormir paisiblement. Ses cheveux gris et les rides de son visage ne pouvaient cacher sa beauté de jadis. La fille s'approcha lentement de sa mère et lui flatta les joues pâles avec le dos de sa main chaude. Tant de haine – causée presque entièrement par le ténébreux Sir John Conroy – avait séparé la mère de la jeune princesse. Heureusement, la venue d'Albert de Saxe-

Cobourg-Gotha, en 1840, changea la situation et leur permit un rapprochement.

« Reposez en paix ! » dit à voix basse la reine en déposant ses lèvres sur le front froid de la morte.

Une cérémonie officielle, sur ordre de la souveraine, eut lieu deux jours plus tard à la chapelle Saint-Georges. Pour les obsèques, tous les membres de la famille royale, le premier ministre et les ministres du gouvernement, plusieurs aristocrates du royaume, de nombreux ecclésiastiques de l'Église anglicane, la plupart des ambassadeurs étrangers ainsi que les représentants de presque la totalité des colonies de l'Empire assistèrent à l'événement. Les funérailles furent célébrées par l'archevêque de Cantorbéry et par deux révérends rattachés au château de Windsor.

« Que Dieu, dans sa miséricorde, puisse pardonner les péchés de Son Altesse Royale, la duchesse de Kent », dit d'entrée de jeu le chef spirituel des protestants.

« Moi, je vous pardonne, ma chère mère », chuchota la reine, assise sur l'un des bancs devant le chœur.

Trop épuisé, le prince Albert ne fut pas au nombre des personnalités présentes aux obsèques. Il se reposait dans ses appartements privés. L'homme malade anticipait sa propre mort et savait qu'il était la prochaine personne que le Tout-Puissant viendrait chercher. Il avait vécu une vie quasi exemplaire sur tous les plans. Il avait fait de son mieux pour honorer ses responsabilités de père, d'époux et de prince consort. Lorsqu'il quitterait le monde des vivants, il laisserait les siens avec le sentiment du devoir accompli.

Après la cérémonie religieuse, la dépouille de la vieille femme fut enterrée dans une crypte à Frogmore, un petit bâtiment érigé sur le domaine de Windsor. Selon les principes de Victoria, la mémoire de sa mère devait à tout prix reposer dans un endroit digne de son rang. À sa guise, la souveraine pouvait aller se recueillir sur les lieux.

Au début de l'automne, la reine sombra dans une légère dépression. La perte de sa mère et la maladie de son époux l'avaient épuisée au plus profond de son âme. Rien ne semblait fonctionner comme elle l'avait espéré. Certes, elle savait qu'un jour ou l'autre les gens finissaient par mourir, mais elle aurait préféré ne pas en souffrir directement. En ce qui avait trait à la croissance de la Grande-Bretagne, le royaume faisait plus que bonne figure, il se démarquait du continent. Son économie faisait l'envie des autres pays, et l'expansion de l'Empire semblait sans limite. Le gouvernement de Lord Palmerston gérait les affaires d'une main plutôt habile. Non, le problème de la souveraine ne concernait pas les affaires de l'État. Victoria avait plutôt les nerfs à vif et les émotions à fleur de peau.

« Monsieur le premier ministre, je vous suis très reconnaissante de vous occuper du royaume.

Comprenez que ma situation actuelle n'est pas des plus enviables », avait-elle dit lors d'une des audiences avec le parlementaire.

« Madame, si la reine souffre, alors le peuple souffre également. Mon devoir est de m'assurer que la Grande-Bretagne s'en sorte avec le moins d'égratignures possible », fut la réponse de ce dernier.

Enfermée dans ses appartements privés du château de Windsor, la souveraine passait toutes ses journées à lire et relire toutes sortes de livres. Ses fugues littéraires lui permettaient d'oublier sa douleur. La nourriture était également une excellente échappatoire à ses problèmes. Outre ses enfants, la seule visite que Victoria acceptait de recevoir à la demeure royale était celle de son amie, la comtesse d'Essex. Lorsqu'elle était présente, Alexandra Spencer se fixait comme mission de divertir la puissante femme.

Le 10 novembre, la reine reçut une lettre de l'impératrice de France. Dans son message, Eugénie s'informait de l'état de Victoria. Jamais, depuis leur première rencontre en Angleterre, elles n'avaient cessé de s'écrire des lettres. L'amitié entre les deux dignités s'était même consolidée, étant donné les épreuves que vivait chacune d'elles.

Ma chère Victoria,

L'ambassadeur de Sa Majesté Impériale à Londres m'a transmis les dernières nouvelles de la Cour royale. J'ai été peinée d'apprendre votre situation des dernières semaines. La disparition de Son Altesse

Royale la duchesse de Kent et la santé incertaine du prince Albert doivent vous chagriner au plus haut point. Je comprends ce que vous ressentez, car la perte d'un être cher est toujours douloureuse. Sachez qu'à Paris vous avez une amie qui ne cesse de penser à vous.

Votre affectionnée amie,

Eugénie

Après la lecture du billet, Victoria versa un ruisseau de larmes sur son visage fatigué. Quelques gouttelettes tombèrent sur la feuille de papier et en effacèrent l'encre noire. Les mots de l'épouse de l'empereur revêtaient beaucoup d'importance pour la reine. Chaque encouragement était accueilli avec plaisir. Elle se dépêcha de répondre à l'impératrice des Français.

Ma chère Eugénie,

Votre lettre fut un véritable baume pour mon cœur blessé par toutes les épreuves de la vie. Ma mère, Dieu ait son âme, nous a quittés dans un bien mauvais moment. Sa mort m'a détruite et je crains que les jours prochains m'achèvent. J'apprécie votre amitié envers moi et vous suis reconnaissante pour vos mots si touchants.

Votre affectionnée amie,

Victoria R

La situation s'aggrava au début de décembre 1861 alors que le prince consort était trop faible pour marcher. Alité, il avait de la difficulté à respirer convenablement. Il avait perdu presque la moitié de son poids et ne parlait presque plus. Près de lui, Victoria passait des jours entiers à lui tenir compagnie. Leurs enfants venaient lui rendre visite à tour de rôle. Lord Palmerston prenait constamment des nouvelles de la santé de l'époux de sa maîtresse. Rien n'allait plus pour l'homme malade. Le 12 décembre, il sombra dans une inconscience quasi totale. Il ouvrait les yeux quelques minutes par jour et n'absorbait aucune nourriture. Même l'archevêque de Cantorbéry fut autorisé à prononcer une dernière prière pour le repos du mourant.

« Seigneur, accueillez l'âme de votre fidèle enfant, et que ses péchés lui soient pardonnés à jamais. »

Deux jours après la visite de l'homme d'Église, le prince était à l'agonie dans son lit, en présence de son épouse Victoria. Il n'était plus que l'ombre de lui-même tant son corps était défait par la maladie. Seule dans la chambre avec lui, la reine pleurait, et plus les heures passaient, plus elle gémissait. Elle savait que son bien-aimé était sur le point de la quitter pour un autre monde. Assise sur le bord du lit, elle tenait la main de son époux dans la sienne. Elle se pencha sur le visage d'Albert et le regardait s'éteindre lentement.

« Mon chéri, je vous ai toujours… toujours aimé du plus profond de mon être. Aucun autre homme ne vous remplacera dans mon cœur. Je vous remercie pour les magnifiques enfants que nous avons eus ensemble. Vous m'avez comblée plus qu'aucune autre femme du royaume ne l'a été », dit-elle d'une voix anéantie.

Le prince consort lui serra doucement la main et versa une larme, qui coula le long de sa tempe. La goutte d'eau se rendit jusque dans son oreille droite. Même à l'article de la mort, il avait entendu les paroles de son épouse. Pour lui prouver une dernière fois son amour, il laissa sortir un dernier soupir. Il s'éteignit dans l'après-midi du 14 décembre 1861, au château de Windsor. Âgé de quarante-deux ans, il laissait derrière lui une épouse abattue et neuf enfants chagrinés. Après plus de vingt ans de mariage, la souveraine entra dans un veuvage inconsolable.

« Non ! Vous ne pouvez m'abandonner ainsi », s'écria la reine en tirant sur le bras du défunt.

Une véritable folie s'empara de la puissante femme. Elle ne voulait pas se résoudre à accepter le destin de son mari. Non, elle n'imaginait pas poursuivre son existence sans lui. Dès le premier jour de leur mariage, il l'avait accompagnée dans ses responsabilités envers la Couronne royale. Le prince avait participé à chacune des étapes du règne de sa bien-aimée. Il lui avait suggéré des idées, avait partagé des conseils et l'avait protégée dans ses moments les plus vulnérables. Avec la disparition de son époux, elle perdait l'amour de toute une vie. La tête sur le torse du mort, Victoria suppliait le Seigneur de lui redonner son compagnon.

« Albert ! Revenez… Vous n'avez pas le droit de me quitter aussi tôt. Je vous aime. Revenez ! »

Les cris de la veuve alarmèrent les valets qui se trouvaient dans le couloir, devant les portes où se déroulait le drame. Inquiets, ils bondirent dans les appartements privés de leur maîtresse. Ils aperçurent le haut du corps de la souveraine allongé sur celui de son époux. Ils comprirent immédiatement que le prince consort avait rendu l'âme. L'un des deux domestiques se précipita dans les corridors sombres de la résidence royale. Il se dirigeait vers un petit salon, au rez-de-chaussée. L'individu entra dans la pièce et informa la dame de compagnie principale de la reine du décès du prince. Sans perdre un instant, la suivante accourut – le bas de sa robe entre les mains – auprès de sa maîtresse.

« Madame ! » hurla-t-elle en s'approchant en toute hâte de la chambre de Victoria et Albert.

La souveraine n'entendait pas les appels de Maggie Browne. La reine avait sombré dans l'abîme du désespoir. Lorsque la jeune femme pénétra dans la chambre, elle remarqua l'état de la souveraine.

« Votre Majesté ! »

Il n'y avait rien à faire, Victoria était dans un état second tant le choc l'avait anéantie. La dame de compagnie prit la souveraine dans ses bras pour la réconforter. Elle l'aida à se relever lentement et la guida vers un divan, au pied du lit. La suivante trempa un linge dans un bol d'eau fraîche et épongea le front de la veuve.

« Madame, vous devez avertir Lord Palmerston du décès de Son Altesse Royale », conseilla Maggie à sa maîtresse.

« Oui ! » dit Victoria en revenant à la raison.

La reine se leva d'un bond et se rendit dans l'autre pièce pour rédiger une lettre. Sur le papier, elle annonça la mort du prince consort et le déroulement des funérailles. Pendant qu'elle écrivait, des servantes s'occupèrent du corps de son mari. Elles le déshabillèrent délicatement, le lavèrent soigneusement et lui enfilèrent des vêtements foncés. Dès que Victoria eut terminé, elle remit la missive à sa suivante. Cette dernière mandata un messager pour qu'il se rende sur-le-champ dans la capitale. Le premier ministre devait être informé de la perte d'Albert de Saxe-Cobourg-Gotha.

Quelques heures plus tard, un carrosse arriva au château de Windsor. À son bord prenaient place le chef du gouvernement et son ministre des Affaires extérieures. Lorsque le véhicule s'immobilisa devant l'entrée principale de l'imposante demeure, les deux politiciens se précipitèrent à l'intérieur du bâtiment. Une fois dans le grand salon, ils attendirent que leur maîtresse se présente à eux. Dès qu'elle fut informée de leur arrivée, la reine descendit au rez-de-chaussée. Pendant que le messager se rendait à Londres, elle eut le temps de se changer pour les recevoir. Vêtue d'une robe noire et d'un voile de la même couleur, elle entra d'un pas incertain dans la pièce.

« Honorables membres du Parlement, mon époux, Son Altesse Royale, est décédé aujourd'hui. Comme vous le savez, il était le prince consort de Grande-Bretagne et d'Irlande. Il aura droit à des obsèques officielles eu égard à son rang au sein de la famille royale. Je veux que l'annonce de sa mort soit rendue publique dès la fin de la journée. Le peuple doit connaître la nouvelle, ainsi que toutes les colonies de l'Empire. Avec mes dames de compagnie, je m'assurerai de la préparation des cérémonies religieuses. Son Éminence me secondera dans cette tâche ardue », précisa la souveraine en jouant avec l'une de ses bagues surmontées d'émeraudes.

« Votre Majesté, au nom du gouvernement, veuillez accepter mes sincères condoléances en cette période difficile pour vous et vos enfants », répondit le parlementaire en se tournant vers sa maîtresse.

L'autre politicien, ébranlé par la situation, ne prononça aucune parole pendant l'audience. Il était bouleversé de voir à quel point la souveraine conservait son sang-froid dans une telle circonstance. Le seul geste qu'il réussit à faire fut une courte révérence à Victoria.

Après avoir dicté les grandes lignes pour la suite des événements, la reine retourna dans ses appartements privés. Elle avait donné toutes les informations nécessaires pour les jours à venir. Afin de ne pas s'écrouler, elle entreprit de se promener dans les jardins. Habillée de vêtements chauds, elle sortit à l'extérieur du château de Windsor. La veuve refusa la présence de ses dames de compagnie ainsi que celle de ses enfants. Ces derniers – à l'exception de la princesse de Prusse et du prince de Galles – étaient tous réunis dans la bibliothèque. Incapable de les affronter, la souveraine ordonna à Maggie de leur expliquer que leur père était décédé. Lorsqu'ils entendirent les paroles de la suivante, les enfants royaux pleurèrent à chaudes larmes. Ils réclamèrent de voir leur père, mais on ne pouvait exaucer leur requête pour le moment. Par la fenêtre, Alice regardait sa mère marcher seule dans la neige et ressentait au fond d'elle sa douleur. Elle savait que, derrière cette femme forte, se cachait une épouse en deuil. Faisant fi de la directive de la dame de compagnie, la princesse enfila un manteau en laine. Elle rejoignit sa mère à l'extérieur de la majestueuse demeure. Alice s'avança, sans faire de bruit, jusqu'auprès de la reine.

« Mère, vous n'êtes pas seule », dit-elle à voix basse en lui prenant la main.

Le geste inattendu de sa progéniture fit monter les larmes aux yeux de Victoria. Dans sa souffrance, elle avait oublié que ses enfants avaient besoin de vivre leur peine également. La reine s'arrêta et fixa le regard de sa fille de dix-huit ans.

« Mademoiselle, vous avez grandi... Je ne m'étais pas aperçue de cela avant », déclara la souveraine en souriant tant bien que mal.

Victoria serra Alice dans ses bras et lui donna quelques baisers sur le front. Ses enfants représentaient les nombreuses années de bonheur qu'elle avait partagées avec le prince consort. Dans chacun d'eux, Albert vivait encore, et Victoria ne le savait que trop bien. La reine se promit de s'occuper d'eux jusqu'à son dernier souffle. Le noble germanique n'était plus de ce monde, mais la vie devait continuer sans lui.

Une semaine s'écoula avant que les funérailles officielles ne soient célébrées. Sous des flocons blancs, des dizaines de milliers de sujets se tenaient debout le long du trajet que devait emprunter le cortège. À l'intérieur de l'abbaye de Westminster, une assistance nombreuse attendait le début de la cérémonie. L'endroit fut décoré sobrement pour souligner la mort du prince consort. Parmi les personnalités présentes, l'impératrice Eugénie de France et la comtesse Alexandra d'Essex pleuraient la perte de l'époux de leur amie. Dans la première rangée, les enfants royaux – sauf le prince de Galles – prenaient place, vêtus de vêtements sombres. Les membres du Parlement étaient répartis çà et là sur les bancs en bois. Des musiciens jouaient en attendant le commencement du service funèbre. Une garde d'honneur entourait le cercueil du prince consort, recouvert de fleurs et du drapeau de la Grande-Bretagne.

« Mes biens chers frères et mes biens chères sœurs, nous sommes réunis en cette journée pour le départ de Son Altesse Royale vers le paradis. Dieu avait d'autres plans pour son fils et nous devons accepter sa décision », commença l'archevêque de Cantorbéry.

Assise dans un fauteuil rembourré, Victoria – vêtue d'un long voile noire – écoutait le discours de l'homme d'Église. Comment pouvait-il oser prétendre connaître les plans du Tout-Puissant ? Dieu ne pouvait lui arracher ceux qu'elle aimait profondément. Si le Créateur voulait ramener à lui Albert, pourquoi lui avait-il permis de le rencontrer ? *Seul un être divin sans miséricorde peut agir de la sorte*, songea la veuve.

Lorsque la cérémonie prit fin, quatre hommes en uniforme rouge transportèrent le cercueil sur un petit véhicule sur roues. La bière était à la vue de tous afin que le peuple puisse se recueillir lors du passage du défunt. Entre le bâtiment religieux et le palais de Buckingham, une cavalerie de plusieurs soldats ceintura le cortège tout le long du trajet. De chaque côté du chemin, des dizaines de milliers d'habitants pleuraient la perte de leur prince préféré. Tous lancèrent des gerbes de fleurs en signe de respect pour celui qui venait de rendre l'âme. Londres était en deuil et la vie s'était arrêtée le temps de la cérémonie, tant en Grande-Bretagne que dans le reste de l'Empire.

Le lendemain des obsèques, la reine convoqua son fils aîné au château de Windsor. Le jeune Albert arriva en fin de journée, quelques heures avant la tombée de la nuit. L'héritier n'avait pas été présent auprès de la famille royale depuis le décès de son père. Pire encore, il n'avait pas assisté aux funérailles officielles du prince consort dans la capitale.

« Albert, je ne vous pardonnerai jamais votre attitude envers la mémoire de Son Altesse Royale. Vous êtes un fils ingrat et un prince égoïste », s'écria la souveraine en furie devant l'arrogance de son garçon.

« Madame, si vous n'étiez pas si obstinée, vous auriez remarqué que vous étiez l'unique responsable de la santé fragile de votre époux », répliqua l'héritier du tac au tac.

« Quoi ? Comment osez-vous me dire ces paroles désobligeantes ? » hurla la mère en colère.

« Certainement ! Vous avez consacré davantage de temps à votre trône qu'à mon père », ajouta Albert sans broncher.

Victoria, sous l'emprise de la haine, chassa son fils de la résidence royale. Elle lui défendit de remettre les pieds dans ses châteaux tant que son cœur battrait. L'idée même de le renier lui traversa l'esprit, mais elle décida de ne pas le faire. Une crise au sein de la monarchie n'était pas souhaitable pour le prestige de la Couronne. Cette journée-là, la reine découvrit le vrai visage du jeune prince. Elle s'interrogea sur la raison de son geste et de ses paroles blessantes. Elle lui avait donné une éducation identique aux autres membres de la famille royale.

248

Seule dans sa chambre du château de Windsor, Victoria regardait les vêtements de son défunt époux. Elle prit chacun d'eux et les sentit. La puissante femme endeuillée pouvait humer l'odeur du prince consort.

« Albert ! » dit-elle en serrant l'une des chemises dans ses mains moites.

La souveraine referma les portes de l'armoire en chêne et se coucha dans son lit. Là encore, elle pouvait sentir la présence de l'amour de sa vie. Il n'était plus là physiquement, mais il vivait dans l'esprit de la reine. Épuisée par l'extrême émotion qui oppressait son cœur, la veuve tomba endormie sur les couvertures épaisses. Elle n'eut pas le temps de se dévêtir de sa robe noire et d'enfiler une chemise de nuit.

CHAPITRE VIII
Une vie sans bonheur

Château de Windsor, 1862-1887

LES MOIS suivants le décès du prince consort furent pénibles pour la reine et les autres membres de la famille royale. Il ne se passait pas une journée sans que Victoria ne verse une larme pour son défunt époux. L'image de son mari la hantait jour et nuit. Une véritable obsession s'empara d'elle après les funérailles. Chaque matin, elle exigeait que les domestiques exposent les vêtements du disparu dans ses appartements privés. Elle était incapable d'accepter la mort du père de ses enfants. Lors de l'anniversaire de Victoria, le premier ministre organisa une vaste fête dans la cour intérieure du château d'Édimbourg. Craignant pour l'équilibre psychologique de la puissante femme, Lord Palmerston avait envisagé cette activité en plein air. Le mois de mai était le moment idéal pour accueillir la souveraine dans la capitale écossaise. Les fleurs sortaient de la terre humide et les arbres dévoilaient leur feuillage.

« Votre Majesté, vos sujets du nord du royaume jubilent à l'idée de votre présence dans la vieille partie de la ville », avait annoncé le chef du gouvernement lors de l'une de ses audiences avec la reine.

Le 24 mai, sous un soleil éblouissant, la souveraine se rendit à la réception. Près de deux cents aristo-crates, scientifiques, artistes et autres personnalités du pays s'étaient rassemblés pour la saluer. Tous connaissaient son immense tristesse depuis la mort de son mari. En participant à cette fête, ils voulaient lui démontrer leur loyauté et leur soutien. Victoria fit son entrée sur le domaine de la résidence ancienne. Elle portait une robe noire, couleur du deuil, ainsi qu'un étroit voile blanc sur ses cheveux. Accompagnée de sa fille Alice, la reine essayait tant bien que mal de sourire aux gens qu'elle croisait sur la pelouse. Malheureusement, le cœur n'y était pas. Sa joie de vivre l'avait quittée en même temps que son époux. Tout lui semblait un fardeau, en parti-culier les apparitions en public.

« Votre Majesté, en votre compagnie, les habitants d'Édimbourg se sentent davantage en harmonie avec la Couronne royale », déclara le lord-maire de la ville en s'approchant de sa maîtresse.

« Je vous suis reconnaissante de vos mots récon-fortants », répondit l'invitée de marque, l'air absent.

Le politicien saisissait son manque d'intérêt et ne s'en offusqua pas. La perte d'un être cher pouvait avoir de drôles de répercussions sur ceux qui restent. Souvent, l'isolement devenait l'unique moyen d'échapper aux regards des curieux. Dans le cas d'une dignité, elle attirait davantage les mauvaises langues.

Pour se soustraire à ce voyeurisme, Victoria avait choisi de s'enfermer au château de Windsor. Pour une de ses rares sorties publiques, elle avait accepté de participer à la réception de son premier ministre. Il avait réussi à la convaincre du bienfait de son séjour en Écosse. Très vite, la veuve constata qu'elle n'était pas prête pour une telle initiative.

« Alice, je veux retourner en Angleterre », chuchota la puissante femme dans le creux de l'oreille de sa fille.

« Mère, nous sommes trop loin... Pourquoi ne pas nous rendre au palais de Holyrood ou au château de Balmoral ? » proposa la princesse comme solution de rechange.

« Très bien ! Un quart d'heure encore et nous partons... », déclara la souveraine à voix basse.

Comme prévu, elles quittèrent les lieux après une quinzaine de minutes d'apparition. Victoria salua poliment Lord Palmerston et quelques parlementaires avant de prendre la route du nord-est de l'Écosse. Ces derniers, déçus du départ précipité de la reine, ne pouvaient que se plier à sa décision.

« Votre Majesté a été très aimable de participer à cette fête », dit le chef du gouvernement en déposant un léger baiser sur la main de sa maîtresse.

« J'apprécie votre compréhension », répondit-elle en montant dans le carrosse.

252

La mère et la fille arrivèrent tard dans la journée. Le chemin parut, à la souveraine, plus ardu qu'à l'accoutumée. Était-ce parce qu'elle n'avait plus de patience ? Quoi qu'il en soit, le temps lui sembla interminable. Pour la divertir, Alice lui faisait régulièrement la lecture de ses livres préférés. Malgré cette distraction, la princesse ne réussissait pas à sortir sa mère de sa torpeur. Plus les semaines passaient, plus le chagrin de la reine s'aggravait. Même les lettres d'Eugénie et d'Alexandra ne redonnaient pas le sourire à leur amie. Les plus âgés des enfants royaux proposèrent à Victoria de demander l'intervention d'un médecin. Ils craignaient pour sa santé. En cinq mois, elle avait pris beaucoup de poids. Jadis si svelte, elle était devenu corpulente. Toutes les parties de son corps avaient des rondeurs anormales. Son visage, l'un des plus séduisants d'Europe, était devenu adipeux. Son apparence physique ne semblait plus avoir autant d'importance qu'auparavant. La reine n'arborait presque jamais de bijoux ou de vêtements extrava-gants. Seule une minuscule couronne ornait ses cheveux. Âgée de quarante-trois ans, Victoria en paraissait dix de plus, selon certaines mauvaises langues.

Un mois après son anniversaire, la souveraine vit un autre membre quitter le giron familial. Sa fille, Alice, épousa le prince Ludwig de Hesse le 1er juillet 1862. En se mariant avec un noble germanique, Alice devait s'installer sur le continent. Après l'aînée, le troisième enfant de la reine volait de ses propres ailes. La princesse était tombée amoureuse de son futur époux après avoir fait un séjour de quelques mois en Saxe. Les deux jeunes amoureux avaient prévu unir leur destinée à la fin de l'année précédente, mais la mort du prince consort avait changé leur plan. Qu'allait-il advenir de la reine lorsque la totalité des siens quitterait le nid familial ?

À partir de l'automne, Victoria cessa presque ses sorties à l'extérieur du château de Windsor. Outre de rares séjours dans ses autres résidences royales, elle n'apparaissait plus devant les sujets de la Grande-Bretagne. Les seules visites régulières qu'elle recevait se limitaient aux audiences hebdomadaires qu'elle accordait au premier ministre. Quelquefois, la souveraine accueillait l'archevêque de Cantorbéry et son amie, la comtesse d'Essex. Elle vivait pour ainsi dire comme un ermite, au grand désespoir de son entourage. Ses dames de compagnie, lorsqu'elles avaient le privilège de l'accompagner dans les jardins du palais, ne savaient plus sur quel pied danser. Victoria ne riait jamais et était en général de mauvaise humeur. Être à son service n'était pas une partie de plaisir. Même les enfants royaux, surtout les plus jeunes, souffraient de cette ambiance morose. Tant dans le royaume que dans les colonies de l'Empire, les gens avaient surnommé leur maîtresse la « veuve de Windsor ». D'ailleurs, la monarchie subira une baisse de popularité à cause du repli de la reine. Quasi invisible sur la scène publique, elle n'aidait en rien l'image de la Couronne royale. Les autres dignités de sa famille étaient soit d'âge mineur, soit sur le continent. Les partisans de la philosophie républicaine commençaient à prendre davantage de place dans les salons des aristocrates et des intellectuels du royaume. Au fait de cette situation, Alexandra Spencer entreprit d'intervenir auprès de Victoria. Elle se présenta d'urgence au château de Windsor afin de lui tracer le tableau de l'humeur du peuple. Armée de son courage, la comtesse n'avait aucune autre solution pour sortir son amie la reine de son mutisme et de son existence recluse.

« Madame, la comtesse d'Essex sollicite une rencontre avec vous », annonça Maggie Browne en pénétrant dans l'antichambre de la reine.

« Vous a-t-elle mentionné la raison de sa présence ? » demanda Victoria en poursuivant la lecture d'une œuvre d'une auteure irlandaise.

« Non ! » répondit la dame de compagnie principale, debout près de l'entrée de la pièce.

« Très bien ! Dites-lui de m'attendre dans le petit salon de l'aile nord. Je descends dans quelques minutes. »

La suivante baissa la tête en signe de respect et quitta en refermant la porte derrière elle. Elle retourna au rez-de-chaussée et transmit le message de la veuve à la comtesse. Au bout d'une dizaine de minutes, la souveraine longea les couloirs de la résidence royale en direction de son amie.

« Ma chère Alexandra, que faites-vous ici en cette journée presque hivernale ? » dit la reine en s'avançant vers sa confidente.

« Votre Majesté, je suis ici car votre bien-être est ma priorité constante. »

« Que voulez-vous insinuer ? Je me porte à merveille… », répliqua Victoria en retirant une poignée de feuilles mortes de ses plantes en pot.

« Madame, permettez-moi d'être directe. Je m'inquiète pour vous et pour l'institution que Votre Majesté représente. Depuis près d'une année, vous refusez de participer aux événements publics. Vos sujets commencent à craindre le pire pour vous. Certains profitent de votre absence pour propager des idées néfastes au sujet de la Couronne royale », s'exclama clairement la comtesse dans le but de faire passer son message.

« Croyez-moi, ma chère amie, j'apprécie votre inquiétude à mon égard, mais je crois savoir comment gérer ma vie », lança Victoria sur un ton peu enclin à la discussion.

« Veuillez pardonner mes paroles… Mais je ne crois pas que vous calculiez l'ampleur du problème. Votre isolement affaiblit le prestige du trône de vos ancêtres et l'avenir de vos héritiers », déclara Alexandra en s'approchant de la souveraine.

« Vos insinuations ne sont que des mots lancés en l'air. Si la situation était aussi catastrophique que vous le dites, Lord Palmerston m'en aurait informée », affirma la reine en fuyant le regard de son amie.

« Madame, si le déclin de la monarchie favorise certains politiciens, croyez-vous qu'ils seraient les premiers à intervenir en votre faveur ? »

Les arguments de la comtesse d'Essex soulevèrent des doutes dans l'esprit de la souveraine. *Peut-être qu'elle a raison ?* pensa-t-elle. Il était connu de tous que les parlementaires avaient l'allégeance volatile. Un jour, ils défendaient la royauté, et le jour d'après, les républicains. Le roi Charles Ier n'avait-il pas été renversé par le plus célèbre révolutionnaire de l'époque, Oliver Cromwell ?

« Que me suggérez-vous de faire, alors ? » interrogea Victoria en levant les yeux vers son amie.

« Je crois que Sa Majesté devrait se rendre dans certaines régions du royaume. Si vous faisiez un bref séjour en Écosse et en Irlande, les mauvaises langues ne pourraient plus colporter des mensonges à votre sujet », proposa Alexandra Spencer en souriant.

Le conseil de la comtesse semblait sage, même si l'idée de quitter la quiétude du château de Windsor embarrassait Victoria. *Une courte tournée des capitales de ces deux régions n'est pas un si grand sacrifice*, songea-t-elle.

« M'accompagneriez-vous si je décidais de faire une visite officielle à Édimbourg et à Dublin ? » questionna la puissante femme.

« Absolument ! » répondit la précieuse amie avec enthousiasme.

« Dans ce cas, je vous tiendrai informée de la suite des événements », conclut la souveraine en quittant le petit salon.

Victoria détestait se faire dicter sa conduite, même par ses proches. Humiliée à plusieurs reprises par Sir John Conroy dans son enfance, elle n'acceptait plus de se faire acculer au pied du mur. De son vivant, le prince Albert était le seul de qui elle acceptait recevoir des « suggestions ». Aucun dans son entourage n'avait remplacé le noble dans cette tâche délicate. Alexandra Spencer avait réussi à semer le doute dans l'esprit de la reine, ce qui était tout à son honneur.

Après une réflexion de cinq jours, Victoria opta pour le conseil avisé de la comtesse d'Essex. La tournée devait s'échelonner sur un mois et couvrir l'Écosse ainsi que l'Irlande. Se savoir loin de Windsor était déjà un effort extrême pour la reine. Tout le long de son périple, elle essaierait de raviver la flamme du peuple envers la monarchie. Elle ne pouvait compter que sur son charisme pour parvenir à ses fins. Avant de commencer sa visite officielle, elle réclama la présence de Lord Palmerston.

« Sachez que je me rends pour quatre semaines à Édimbourg et à Dublin. Mes sujets ont le droit de me voir et de vivre mon chagrin. Si j'ai perdu un époux formidable, la Grande-Bretagne a perdu un farouche défenseur de son évolution vers les nouvelles technologies », déclara la souveraine en prenant une tasse de thé.

« Est-ce nécessaire de vous déplacer pour partager votre douleur avec le royaume ? » demanda le premier ministre, déçu de voir sa maîtresse reprendre du service.

« Je connais la raison qui vous pousse à me convaincre de renoncer à cette tournée. Me croyez-vous sotte ? » lança-t-elle du tac au tac.

« Votre Majesté, soyez assurée que je n'ai en aucune circonstance dénigré votre intelligence », répondit-il pour se défendre.

« Depuis la mort du prince, vous et le gouvernement, *mon gouvernement*, avez tout essayé pour prendre le contrôle du pays. Je suis la souveraine et j'ai bien l'intention de régner sur le royaume et l'Empire », fulmina Victoria en se cramponnant aux bras de la chaise sur laquelle elle prenait place.

« Madame, vous faites erreur en prétextant ma déloyauté à votre égard. Vous avez devant votre personne votre plus fidèle allié », ajouta le politicien, un peu bouleversé par les attaques de la puissante femme.

« Dans ce cas, je vous conseille très fortement de vous déplacer vers le nord lorsque je serai présente dans la capitale écossaise. Il serait souhaitable que mon premier ministre soit à mes côtés pour étouffer les ragots de mes ennemis », ordonna-t-elle de manière détournée.

« Si Votre Majesté insiste… »

« Exactement ! J'insiste ! » interrompit-elle d'un ton menaçant.

Le parlementaire, humilié, baissa la tête en signe de soumission à Victoria. Il ne pouvait s'obstiner avec elle au risque de déclencher une colère qui ne l'avantagerait nullement. Après avoir dicté son message, la souveraine quitta le grand salon sans même regarder le politicien.

La tournée royale eut lieu comme prévu dans le nord du royaume et sur l'île voisine. La reine du royaume et la comtesse d'Essex passèrent des journées entières à participer à diverses activités publiques – des courses de chevaux, non loin d'Édimbourg, des spectacles d'artistes locaux, des rencontres avec les politiciens de la région, des réceptions d'aristocrates – et elles assistèrent même à des messes dominicales. Pendant qu'elle remplissait ses devoirs envers la Couronne, Victoria oublia sa tristesse. La douleur semblait s'être effacée, du moins temporairement, à la grande joie d'Alexandra. Cette dernière, satisfaite de l'effet escompté, ne voulait que le bonheur de son amie. Le voyage officiel de la souveraine se termina vers la fin de novembre 1862. Après de multiples engagements, la veuve avait réussi à redonner du lustre à la monarchie. Épuisée par son séjour loin du château de Windsor, elle ne souhaitait qu'une chose : revenir s'isoler chez elle, dans sa résidence royale. De retour à la campagne, elle invita la comtesse à passer une autre nuit auprès d'elle. En raison de la température peu clémente, la femme ne pouvait refuser l'offre de sa maîtresse.

En soirée, vêtues de robes plus légères et dépouillées de leurs bijoux clinquants, elles prirent place dans des fauteuils. Non loin du feu dansant dans l'âtre, elles se reposaient calmement. Leur escapade des dernières semaines les avait rapprochées davantage. Une solide amitié s'était créée au cours des nombreuses épreuves de leur vie.

« Croyez-vous qu'Albert nous observe d'en haut ? » demanda Alexandra Spencer en grignotant un biscuit à l'avoine et aux raisins secs.

« Je n'en ai aucun doute… Il est mon ange gardien. Depuis sa mort, je le sens autour de moi. Il est partout où je vais », répondit la souveraine en repensant aux soirées en compagnie du prince consort.

Alors qu'elles discutaient en toute tranquillité, un valet se présenta dans la bibliothèque du château de Windsor. La tête recouverte d'une perruque blanche, il semblait anxieux de remettre à la puissante femme le communiqué qu'il avait entre les mains.

« Madame, un messager de Londres vient de me livrer ce document », dit-il en remettant la missive à Victoria.

« Vraiment ! Ma chère amie, vous n'avez aucun moment de répit », lança la comtesse en riant.

La reine lut les quelques phrases de la lettre qu'on venait de lui remettre et plia la feuille jaunâtre en deux. La nouvelle était loin d'être réjouissante et un changement d'humeur se fit remarquer sur son visage. L'attitude soudaine de Victoria rendit son amie perplexe.

« Que se passe-t-il ? Pas encore un drame... », s'exclama Alexandra en espérant que ce soit le moins grave possible, si cela s'avérait juste.

Victoria, la main tremblante, tendit le document à la comtesse, qui déplia le papier et lut les mots rédigés à l'encre noire. Ses yeux s'emplirent de larmes, elle ne put cacher ses émotions. Le souffle lui manqua et son corps frêle fut pris de soubresauts. Alexandra entra dans un état désolant à voir pour la reine. Une tragédie venait de frapper de plein fouet l'aristocrate. Abasourdie, elle sentit le message lui glisser des mains. La feuille tomba doucement sur le plancher. Le contenu du pli annonçait le décès du comte d'Essex. Le matin même, l'homme était tombé du toit de l'une des tourelles de leur résidence principale ; il mourut sur le coup. Il avait voulu sauver leur chat qui s'était retrouvé au sommet du bâtiment, incapable de revenir sur ses pas. Alors qu'il s'accrochait solidement aux parois de la demeure, Brandon avait perdu pied. La mort était venue le chercher.

« Alexandra, je suis désolée… », dit Victoria à voix basse en s'approchant de son amie.

« Mon mari est mort ! Mort ! » s'écria la comtesse tant la douleur la faisait souffrir.

Elle cacha son visage pâle derrière ses mains moites. Les joues recouvertes d'eau, elle ne pouvait retenir ses larmes. Celui qu'elle avait toujours aimé venait de la quitter à jamais. Sans enfants, Alexandra se retrouvait maintenant seule. Pourquoi Dieu lui avait-il enlevé l'unique personne qu'elle chérissait vraiment ?

« Le Tout-Puissant a voulu me punir d'avoir vécu un bonheur si parfait », déclara-t-elle en furie.

« Mon amie, le Seigneur n'a rien à voir avec toute cette souffrance. Le destin trace le chemin de chacun. Brandon comme Albert nous ont comblées et nous devons en être conscientes », s'exclama Victoria pour la consoler.

En vérité, ses paroles n'exprimaient nullement le fond de sa pensée. La reine avait de la rancœur envers l'être divin et ne comprenait toujours pas qu'il lui ait arraché son époux adoré. Albert était décédé depuis près d'un an et son absence lui manquait cruellement. La disparition du comte d'Essex ajoutait à son chagrin. L'événement dramatique ne pouvait que lui rappeler ce mois de décembre 1861.

« Vous me dites ces mots et pourtant je sais que vous n'en croyez rien », dit Alexandra en se ressaisissant.

Ébahie par cette réplique, la souveraine ne trouva rien à ajouter. Son amie savait, plus que quiconque, la couleur de ses sentiments. *Pourquoi lui mentir ?* se dit-elle dans son for intérieur.

« Vous avez raison ! La vie est injuste... Albert et Brandon ne devaient pas mourir. Nous les aimions de tout notre cœur. Dieu était jaloux d'être laissé pour compte. Je suis le gouverneur de l'Église d'Angleterre et, pourtant, je déteste ce que le Tout-Puissant nous a fait », avoua Victoria en toute franchise.

Seules dans la pièce éclairée par les flammes du feu, elles pleurèrent à chaudes larmes la perte de leur bien-aimé. Dans le deuil, les deux amies venaient – encore une fois – de solidifier leur relation. Plus que jamais, elles se comprenaient sur tous les aspects de leur existence.

Les mois suivants, Victoria et Alexandra devinrent inséparables. La comtesse passait le plus clair de son temps à accompagner la reine dans ses déplacements. Elle était même devenue sa dame de compagnie principale. Accepter cette charge lui permettait de ne pas se morfondre sur son sort.

Au début de 1863, le prince de Galles revint auprès de sa mère après une profonde discorde. Âgé de vingt et un ans, il sentait le besoin de se réconcilier avec elle. L'héritier se présenta au château de Windsor avec la ferme intention de regagner les faveurs de la reine. Après s'être installé dans ses appartements, il se dirigea vers l'antichambre de la maîtresse des lieux. Il replaça ses cheveux bruns et se fit annoncer par le valet posté devant la porte de la pièce. Lorsqu'il reçut l'autorisation d'y pénétrer, le jeune homme ferma ses paupières un instant. Il respira un bon coup et avança lentement jusqu'à la puissante femme. Il fit une révérence honnête et attendit les premières paroles de la souveraine.

« Vous daignez vous présenter devant ma personne après votre attitude inadmissible ? » lança-t-elle en guise d'introduction.

« Je demande, avec humilité, que Sa Majesté me pardonne toutes mes erreurs du passé. Je reconnais mes fautes – et elles sont nombreuses – mais j'implore l'indulgence de ma mère. Je suis son fils, l'héritier de la Couronne royale, et pour le bien de notre famille ainsi que celui de la nation, je crois qu'une harmonie saine doit régner entre Madame et moi », déclara le prince Albert en n'osant pas regarder Victoria.

« Je dois admettre que vous me surprenez… Vous semblez avoir saisi l'ampleur de votre geste. De plus, vous comprenez également la situation dans laquelle vous avez mis la monarchie. Si vos propos sont sincères, je vous accorde mon pardon », répondit la souveraine en se tenant debout au milieu de l'antichambre.

« Je remercie Sa Majesté de sa grande bonté. Soyez convaincue de mes bonnes intentions », ajouta-t-il en souriant à sa mère.

Après ces excuses formelles, ils passèrent une partie de la journée à discuter. De nombreux mois s'étaient écoulés depuis leur dernière conversation. Ils échangèrent sur une panoplie de sujets. L'héritier en profita pour annoncer à la reine sa décision d'épouser une jeune demoiselle de l'Europe du Nord. Comme la tradition l'exigeait, tous les membres de la famille royale devaient recevoir l'assentiment du détenteur du pouvoir royal avant de s'unir officiellement. Le prince dévoila l'identité de sa bien-aimée en espérant que la reine puisse l'accepter.

« Madame, je souhaite me marier avec la princesse Alexandra de Danemark. »

Cette Scandinave, fille du roi Christian IX et de la reine Louise, appartenait à l'une des plus vieilles maisons régnantes du continent. Selon la légende, le chef de cette famille royale descendait directement des premiers seigneurs vikings. Digne héritière de ce passé glorieux, Alexandra répondait parfaitement aux critères primordiaux de la reine, auxquels s'ajoutait la beauté incontestable de la jeune Danoise. Ce ne fut pas difficile d'obtenir la faveur de la souveraine pour ce mariage princier. Satisfaite d'accueillir sa nouvelle bru, Victoria en informa immédiatement le premier ministre. Elle lui ordonna d'annoncer le plus tôt possible l'événement au peuple. Même si la veuve souffrait encore du deuil de son mari, elle se lança à pieds joints dans les préparatifs des épousailles de son fils. Impatiente de célébrer l'union d'Albert avec la fille du souverain du Nord, elle choisit comme date de mariage le 10 mars 1863. Pour l'occasion, elle invita plusieurs personnalités des quatre coins de l'Europe. La souveraine voulait faire de cette journée un moment mémorable pour son héritier.

Alors que le printemps pointait à l'horizon, l'événement tant attendu par la famille royale arriva enfin. Devant une assistance nombreuse, le prince de Galles et sa future épouse écoutaient les paroles de l'archevêque de Cantorbéry. Derrière eux, la reine portait un vêtement vert. Depuis la mort du prince consort, elle ne s'était vêtue que de noir. Pour le mariage de son fils, elle opta pour un peu de gaieté. Le geste ne passa pas inaperçu aux yeux des curieux rassemblés pour l'occasion. Victoria le savait et s'en moquait éperdument. Son unique souci était le bonheur de son fils et des siens.

« Devant Dieu et les hommes, ces deux jeunes gens ont décidé de s'unir selon les lois de l'Église d'Angleterre. Seigneur, dans ta miséricorde, protège la progéniture que le couple princier donnera au royaume et à l'Empire », déclara le religieux d'une voix grave.

« Vous, Albert Edward de Saxe-Cobourg-Gotha, acceptez-vous de vous unir à cette femme, de l'aimer et de la chérir jusqu'à votre mort ? » demanda l'ecclésiastique en regardant le prince.

« Je le promets devant Dieu et les hommes. »

« Vous, Alexandra Caroline de Schleswig-Holstein-Sonderbourg-Glücksbourg, acceptez-vous de vous unir à cet homme, de l'aimer, de le chérir et de lui obéir jusqu'à votre mort ? » poursuivit-il en se tournant vers la future mariée.

« Je le promets devant Dieu et les hommes. »

Le prince de Galles venait d'épouser officiellement celle pour qui son cœur battait à tout rompre. Il permettait, par le fait même, la continuité possible de la lignée de ses ancêtres. La reine, témoin de ce mariage, ne pouvait qu'applaudir l'événement.

ℒ

Trois ans passèrent, et ce fut au tour de la princesse Helena de prendre mari, lui aussi originaire du Danemark. Elle était tombée follement amoureuse du prince Christian de Schleswig-Holstein. Tout aussi heureuse du mariage de sa fille, Victoria se réjouissait de l'avenir de cette dernière. Même si elle savait que son enfant la quitterait pour vivre sur le continent, cela n'entachait en rien sa joie. Elle espérait voir ses enfants accomplir leur destin respectif. Pour la représenter, Victoria envoya l'héritier de la Couronne royale à la cérémonie protestante du 5 juillet 1866.

Emprisonnée dans sa douleur, la souveraine essayait de surmonter son pénible deuil. Plus de cinq années s'étaient écoulées depuis la perte de son époux. Malgré le temps, sa peine était toujours aussi vive et ne voulait pas céder sa place au bonheur. Victoria en était même venue à la conclusion qu'elle ne serait plus jamais heureuse. Devant la constance de la situation, elle n'avait d'autre choix que d'accepter son mal. Elle se résigna à vivre le reste de ses jours avec cette souffrance et dut l'apprivoiser afin de ne pas sombrer dans la folie. Pour garder son énergie, elle se consacra davantage à ses prérogatives royales.

Le 1er juillet 1867, le Canada, l'une des colonies de l'Empire florissant de la souveraine, accéda à la désignation de pays indépendant. Dans les faits, Londres continuait d'administrer les affaires extérieures et juridiques de cette région du nord de l'Amérique. Le gouvernement de cette jeune nation se fit un devoir de déclarer haut et fort leur allégeance à Victoria. Dans ses documents formels, il reconnaissait la légitimité de la reine. Le système politique était même chapeauté par un gouverneur général, représentant officiel de la Couronne royale. Les sujets de ce territoire restèrent de fidèles adeptes de la monarchie. D'autres dépendances britanniques commencèrent également à réclamer davantage de pouvoir. Tous s'accordaient pour dire que la souveraine était l'élément unificateur de l'Empire. Son

règne avait marqué le visage de la géographie plané-
taire. Partout sur le globe, la présence du royaume
était forte. La langue anglaise était même devenue
le moyen de communication le plus utilisé dans les
échanges commerciaux. Certes, le continent
asiatique ne semblait pas aussi touché par l'expansion britannique, mais il en subissait les répercussions.

∅

La décennie suivante fit sortir Victoria de son
isolement. Elle continuait de porter le noir et de
ressentir le deuil, mais retrouvait petit à petit son
appétit pour la vie. Ses enfants, adultes pour la
plupart, animaient son existence. Son fils aîné
s'impliquait ardemment dans les affaires du
royaume. Aidée par lui, la reine semblait reprendre
goût à son rôle. Bientôt, elle retourna – de façon
régulière – au palais de Buckingham pour assumer
ses responsabilités. Il lui arrivait même de donner
des bals dans la résidence londonienne. À l'aube de
son cinquantième anniversaire, la puissante femme
régnait depuis trente-trois ans sur la Grande-
Bretagne et l'Irlande. La société avait énormément
évolué et la politique démocratique avait gagné
beaucoup de terrain. La royauté, jadis influente à la
Chambre des communes, avait de plus en plus un
rôle symbolique. Le retrait de la souveraine de la
sphère gouvernementale avait permis aux politiciens, en particulier au premier ministre, de gérer
l'administration publique. Malgré tout, la monarchie de l'île demeurait la plus puissante en Europe.
Aucune loi ne pouvait être validée sans la signature

de la reine. Son approbation était indispensable pour la reconnaissance du résultat des élections générales. En d'autres mots, le chef du parti au pouvoir ne pouvait assumer ses fonctions sans l'accord de la Couronne royale. Au sein de l'Église anglicane, Victoria était le chef de l'institution religieuse. Toutes les nominations ecclésiastiques devaient être approuvées par le gouverneur suprême, elle, en l'occurrence. Finalement, elle seule pouvait remettre les distinctions honorifiques des divers ordres, anglais, écossais et irlandais.

Trois mariages princiers seront célébrés au cours de ces années de renaissance. La princesse Louise épousera, le 21 mars 1871, lord John Campbell, marquis de Lorne. Pour sa part, le prince Alfred s'unira à la grande-duchesse Maria Alexandrovna de Russie. La cérémonie se déroulera le 23 janvier 1874, sous une tempête hivernale. À la fin de la décennie, le prince Arthur mariera, le 13 mars 1879, la princesse Louise-Margarete de Prusse. À chacun des mariages, Victoria ou le prince de Galles assistera à l'événement familial. Pourtant, un drame viendra ternir le bonheur retrouvé de la souveraine. Dix-sept années après le décès du prince consort, un malheur vint frapper la reine. Un matin de décembre 1878, alors qu'une pluie verglaçante paralysait la plupart des usines de la capitale, un télégramme parvint au palais de Buckingham. La comtesse d'Essex, toujours au service de son amie, reçut l'avis des mains d'un valet en uniforme rouge. Ce dernier, la main tremblotante, lui remit le pénible message provenant du continent.

« Cessez de bouger ainsi ! » lui dit Alexandra Spencer en essayant de prendre le document.

Lorsqu'elle lut les deux seules lignes constituant le texte, l'aristocrate comprit le trouble du domestique. Bouleversée, elle se demanda comment annoncer la triste nouvelle à son amie. Abattue pendant de nombreuses années par la disparition d'Albert, Victoria avait repris goût à la vie après un long et ardu combat intérieur. La comtesse se dirigea vers l'escalier, monta à l'étage supérieur et longea l'interminable couloir en direction des appartements privés de la reine. Arrivée devant les portes de la chambre, elle fit signe à l'homme au garde-à-vous de les ouvrir. La femme pénétra, d'un pas vacillant, dans la pièce mal éclairée. Assise dans son fauteuil préféré, la souveraine lisait la dernière œuvre de l'écrivain Lewis Carroll. Elle leva la tête gracieusement et fit un tendre sourire à son amie.

« Que me voulez-vous, ma chère ? » questionna la souveraine en déposant le livre sur ses genoux.

« Madame, j'ai le difficile devoir de vous transmettre une nouvelle des plus sombres », déclara Alexandra, remplie de peine à l'idée de lui livrer le contenu du télégramme.

« Dites mon amie, vous m'inquiétez ! » s'impatienta Victoria.

« La Cour grand-ducale de Hesse et du Rhin informe Sa Majesté de la mort de Son Altesse sérénissime, la princesse Alice », s'exclama la comtesse en versant une larme.

Les paroles de l'aristocrate résonnèrent dans l'esprit de Victoria. Sous le choc, elle ne comprenait pas l'ampleur de la nouvelle. La bouche ouverte, aucun mot ne parvenait à sortir. La puissante femme était atterrée d'apprendre le décès de sa fille. Celle-ci était à peine âgée de trente-cinq ans et, encore hier, ne souffrait d'aucun mal.

« Morte de quoi ? » réussit-elle à prononcer, avec grand-peine.

« D'une maladie contagieuse… », répondit la comtesse d'une voix attristée.

Atteinte de diphtérie, la cadette des sept enfants du couple grand-ducal, avant de succomber, l'avait transmise à la princesse Alice. Quelques semaines plus tard, celle-ci en mourut à son tour. Cette maladie fera des ravages au sein de la famille royale et de ses descendants.

« Pourquoi Dieu s'acharne-t-il sur moi ? Il m'a enlevé mon époux, et voilà qu'à la même journée du mois de décembre il me retire ma fille », fulmina de rage la souveraine en se levant d'un bond, laissant le livre sur ses genoux tomber sur le tapis gris et blanc.

Victoria entra dans une rage incommensurable, au désespoir d'Alexandra. Le visage gonflé par l'émotion, elle s'agitait en tous les sens dans la chambre.

Puis, dans un élan de colère, elle se jeta sur les bibliothèques en bois qui longeaient les murs, prit les livres un à un et les propulsa sur le plancher.

« Sortez ! » cria la reine en s'adressant à son amie.

Aussitôt, la comtesse d'Essex quitta les appartements privés, laissant derrière elle une mère enragée. L'aristocrate connaissait le caractère bouillant de la souveraine. Elle savait que, dans une situation pareille, il était préférable d'obéir à ses ordres. Rien ne pouvait ramener Victoria à la raison lorsqu'elle avait ce genre de crise. Il valait mieux la laisser exprimer ses sentiments loin des regards indiscrets. Le soir de l'annonce de la mort de la princesse Alice, Victoria, après s'être calmée, prit place sur une chaise devant son secrétaire en bois. Elle saisit une plume d'oiseau et l'imbiba dans l'encre afin de rédiger une lettre à l'impératrice Eugénie. Chassée par les républicains quelques années auparavant, l'impératrice avait trouvé refuge en Angleterre. Après la mort de l'empereur Napoléon III, le régime impérial fut renversé par ses ennemis. Sans pouvoir réel, l'épouse du défunt ne fut pas en mesure de bloquer l'ascension du mouvement.

Ma chère amie,

Le Seigneur, dans sa miséricorde, diront certains, m'a une fois de plus arraché un proche. Après la mort de ma mère, la duchesse de Kent, la disparition de mon bien-aimé, le prince consort, voilà que j'apprends le décès de ma fille, la grande-duchesse Alice. Par un télégramme froid et sans compassion, j'ai entendu de la bouche de la comtesse d'Essex la perte de mon enfant. Comment pourrais-je poursuivre si Dieu ne cesse de dresser des épreuves sur mon chemin ? Peut-être la vie était-elle ainsi faite ?

Votre affectionnée amie,

Victoria R

L'année suivante, l'impératrice Eugénie perdra son fils, le prince Louis-Napoléon, tué par une tribu zouloue lors d'une bataille en Afrique. À l'instar de la reine, elle aura vu mourir son mari et son unique enfant. Tout le long de leur amitié, elles auront vécu des vies presque similaires, avec son concert de joie et de tristesse.

Le 27 avril 1882, Leopold, le fils cadet de la famille royale, épousera la princesse Helena de Waldeck-Pyrmont. Puis la mortalité frappera à nouveau la dynastie. Deux ans après son mariage, le 28 mars 1884, le prince Leopold trouvera la mort à son tour. L'hémophilie sera la raison de sa disparition prématurée. Là encore, Victoria recevra la nouvelle comme un coup de couteau en plein cœur. Elle trouvera un réconfort dans la nourriture pour calmer ses émotions et s'ensuivra une prise de poids importante. Malgré le mariage de sa préférée, Beatrice, qui se déroulera le 23 juillet 1885, son chagrin sera persistant. Par égoïsme, la puissante femme acceptera cette union après de multiples supplications de la cadette. En vérité, la souveraine aurait voulu garder la princesse auprès d'elle. Après une rude négociation, elle approuvera la demande à la condition que les nouveaux mariés résident au palais de Buckingham. Beatrice et son époux, le prince Henry de Battenberg, accepteront l'entente et emménageront dans la résidence londonienne. Ils tiendront compagnie à la souveraine pendant ses longues journées, enfermée à l'intérieur de l'un de ses châteaux royaux.

En 1887, le gouvernement britannique voulut souligner en grandes pompes les cinquante années de règne de leur maîtresse. Le premier ministre fit voter un budget colossal au Parlement afin d'organiser les célébrations. Lord Salisbury, un royaliste dans l'âme, considérait l'événement comme un moment propice pour montrer la puissance de la Grande-Bretagne. Par obligation morale, Victoria se plia à la requête du politicien. Elle reconnut l'importance de rassembler ses sujets autour d'une fierté commune. La monarchie, au plus fort de sa popularité, devenait l'élément pour souligner la grandeur du pays. Le 20 juin, grâce à des préparatifs hors de l'ordinaire, le royaume et l'Empire fêtèrent leur souveraine. Pour l'occasion, un gigantesque défilé envahit les rues de la capitale. Des centaines de milliers de gens y déambulèrent avec fébrilité. Des adultes et des enfants ainsi que des riches et des pauvres s'entremêlaient à la foule. Tous voulaient partager leur allégeance à la Couronne royale. La veille, un banquet imposant avait eu lieu au palais de Buckingham où étaient réunies une cinquante de dignités européennes. Après le discours du premier ministre, les invités dansèrent toute la soirée. La reine, épuisée, se prêtait au jeu sans laisser paraître ses réelles émotions. Derrière sa façade de femme imperturbable, elle combattait ses vieux démons. Âgé de soixante-sept ans, Victoria n'était plus que l'ombre d'elle-même. Ses seules amies sincères, la comtesse Alexandra et l'impératrice Eugénie, vivaient les mêmes tourments qu'elle. À vrai dire, la mort rôdait partout autour de sa personne. Même ses goûts littéraires se modifiaient avec le temps. La souveraine prenait un malin plaisir à lire des œuvres à saveur dramatique ou morbide. Plus elle vieillissait, plus elle espérait rejoindre le plus rapidement possible son époux et leurs enfants décédés. S'ajoutait à sa souffrance du cœur et de l'âme celle de son corps. Ses articulations commençaient à la gêner dans ses déplacements.

CHAPITRE IX
Une vieillesse isolée

Angleterre – Aix-les-Bains, 1888-1899

LA REINE était épuisée par le fardeau de ses responsabilités. Les audiences hebdomadaires avec le premier ministre devinrent de véritables séances de torture. Pas moins de neuf chefs de gouvernement s'étaient présentés devant elle pour recevoir son approbation avant de diriger les affaires du pays. La puissante femme avait fait d'incalculables séjours en Angleterre, en Écosse, en Irlande et au Pays de Galles. Elle avait approuvé des centaines de nominations au sein de l'Église anglicane. Un nombre tout aussi considérable de lois furent signées de sa main pendant son règne. Jusqu'à la fin des années 1880, elle poursuivit son rythme de vie.

Au printemps 1890, fatiguée, Victoria demanda à sa fille Beatrice de l'accompagner dans le sud-est de la France. Malade en raison de l'exigence de ses devoirs royaux, elle voulait se retirer vers un lieu de villégiature. La mère et sa cadette prirent donc le bateau en direction du continent. Assise sur une chaise rembourrée, Victoria respirait l'air salin des eaux. Pour la première fois depuis longtemps, elle se sentait libre. Sans contrainte attribuable à son rang, la reine pouvait faire le vide. Il n'y avait ni politiciens ni hommes d'Église pour l'empêcher de se reposer.

« Ma chérie, si loin de Londres et si près de la tranquillité », déclara la souveraine en s'adressant à Beatrice.

« Je suis soulagée de vous voir si détendue en ce moment », répondit la princesse en esquissant un sourire.

« Croyez-moi, ce voyage au bord du lac du Bourget ne pourra que m'être bénéfique, ma fille. »

Après une traversée sans anicroche, le navire accosta au port de Calais. Loin du regard des badauds, la reine et la princesse montèrent dans un carrosse en direction de Reims. Elles devaient passer la nuit dans un château avant de reprendre leur route. Victoria profita de sa présence sur les lieux pour entreprendre une courte visite à la cathédrale consacrée à la Vierge Marie. Bâtiment construit à l'époque médiévale, la basilique fut le théâtre du couronnement de nombreux rois français. Avant le coucher du soleil, les voyageuses s'y rendirent. Elles y pénétrèrent presque sur la pointe des pieds. Devant leurs yeux, une armée de chandelles illuminait le chœur de l'église catholique. Derrière l'autel en marbre, un immense crucifix était accroché au mur. De chaque côté, des statues de taille réelle représentaient les parents du Sauveur. Victoria s'approcha – avec l'aide d'une canne – jusqu'aux pieds de la Sainte Vierge. Elle leva la tête en direction du visage de Marie et versa une larme.

« Vous qui avez perdu votre fils dans d'atroces conditions, comment avez-vous survécu à sa mort ? » chuchota Victoria.

Non loin, Beatrice avait entendu les paroles de sa mère. Elle fit mine de rien et se retira vers l'une des nefs de la cathédrale. La princesse poursuivit sa visite sans déranger la souveraine. Elle admira chacun des détails de l'architecture du vieux bâtiment. Tant d'événements ayant marqué l'histoire de la France s'étaient déroulés en ces murs. Même Jeanne d'Arc, l'héroïne d'un peuple, y avait foulé le sol. Pour un sujet de la Grande-Bretagne, ce personnage incarnait davantage le mal. Mais pas pour la fille cadette de la reine. Elle voyait dans la vie de la Française un exemple de dévotion. Jeanne d'Arc avait sacrifié sa propre existence pour sauver son pays de l'envahisseur. Aux yeux de Beatrice, la martyre chrétienne symbolisait la détermination de ses convictions.

Une trentaine de minutes plus tard, la souveraine et sa fille reprirent la route. Les chemins de la République française n'étaient pas des plus sécuritaires. De nombreux véhicules étaient attaqués par des bandes de voleurs sans vergogne. Par bonheur, cette fâcheuse situation ne se produisit pas. Au milieu de la nuit, sous une pleine lune éblouissante, le carrosse de la reine arriva à Aix-les-Bains. La région était reconnue pour son étendue d'eau, la splendeur de ses paysages et ses bassins thermiques.

280

Un paradis terrestre, au dire des personnalités qui fréquentaient la commune. Ce village de la Savoie avait été recommandé par l'impératrice Eugénie, incontestable adepte de ce haut-lieu de villégiature. Pour leur séjour, Victoria et Beatrice logèrent dans une coquette villa, située au bord du lac du Bourget. Un peu partout, on voyait d'autres gens fortunés venus se reposer dans cet endroit féerique. La spacieuse maison où la souveraine et la princesse passaient leurs vacances n'était qu'à quelques pas du rivage.

« Mère, tout semble si tranquille ici. On pourrait croire que le temps s'est arrêté », dit Beatrice en admirant le reflet du soleil sur la surface de l'eau.

« Que penseriez-vous si je me portais acquéreur d'un terrain ? Nous pourrions, ainsi que le reste de la famille, venir nous y détendre », proposa Victoria en buvant une boisson fraîche.

« Ce serait une idée merveilleuse », répondit l'autre.

Dans la même journée, un représentant de l'administration locale fut convoqué auprès de la souveraine. Curieuse de connaître le prix des parcelles de terre, elle voulait également se renseigner sur la situation du marché. Sa santé n'étant plus aussi bonne qu'auparavant, elle trouvait intéressante l'idée de séjourner quelques fois par année dans la région. L'homme lui fit part de la valeur de certains domaines à vendre. Elle fut vivement intéressée par un bout de terrain qui se trouvait dans une ville voisine d'Aix-les-Bains. Tresserve se dressait de l'autre côté du lac du Bourget, à une distance raisonnable de la station thermale. Situé dans un cadre enchanteur, le site répondait à chacun des critères de la reine.

« Aimez-vous le lieu ? » interrogea la princesse en regardant l'herbe verte qui s'étalait devant elle.

« Absolument ! À notre retour en Angleterre, je me pencherai sur le sujet », répliqua la souveraine en s'appuyant sur sa canne.

Victoria reçut, quatre jours après son arrivée dans la Savoie, la visite inattendue de l'impératrice Eugénie. Cette dernière, une habituée des bains thermaux, souhaitait saluer son amie. Impatiente de revoir la souveraine, elle se présenta à la villa de cette dernière.

« Votre Majesté, j'ai quitté la Grande-Bretagne en espérant vous rencontrer… Mon désir s'est avéré une réalité », dit l'épouse du défunt empereur des Français à son arrivée.

« Quelle belle surprise ! » s'exclama la puissante femme en ouvrant les bras.

Dans un geste spontané, l'amie s'approcha de la souveraine pour l'embrasser sur les joues. Elles étaient heureuses de se retrouver à Aix-les-Bains en cette période de l'année. Le début du printemps signifiait l'éveil de la nature. Les fleurs, comme un concert à l'unisson, sortaient du sol et les arbres cherchaient à se dévoiler devant le regard admiratif des visiteurs. Aucun endroit sur la planète ne pouvait égaler la région du lac du Bourget.

« Accepteriez-vous de nous honorer de votre présence pour le repas de ce soir ? » demanda Victoria en espérant une réponse positive.

« Avec plaisir ! » répondit Eugénie avec entrain.

Au coucher du soleil, les trois dignités se rassemblèrent autour d'une table installée sur la terrasse. Sous les étoiles brillantes, elles échangèrent sur divers sujets. Parmi ceux-ci, un attira davantage l'attention de la reine. Un certain médium italien prétendait pouvoir communiquer avec les morts. Dans les salons d'aristocrates français, l'homme était devenu le principal centre d'attraction. Tous cherchaient à le consulter et lui offraient pour ses services un prix exorbitant. Les gens étaient prêts à tout pour reprendre contact avec leurs proches disparus. Le bruit courait même que l'homme aux pouvoirs surnaturels servait d'enveloppe terrestre aux spectres.

« Que pensez-vous de ce Rodrigo Alvari ? » demanda Victoria en s'adressant à son amie.

« Selon moi, tout est possible ! Pourquoi cet Italien ne pourrait-il pas voir et entendre les voix de l'au-delà ? » déclara l'impératrice en haussant les épaules.

« J'ai entendu dire qu'il se trouvait à Marseille en ce moment... Si j'envoyais un messager pour l'informer que nous sollicitons sa présence, participeriez-vous à une séance ? » ajouta la reine sur un ton propice au défi.

« Si Sa Majesté le veut, je serai parmi vous », répliqua l'amie sans broncher.

Dès le lendemain matin, très tôt, un messager quitta la villa de la souveraine. Il portait sur lui un document signé de la main de la puissante femme. Cachetée de cire, la dépêche réclamait la présence du médium auprès de la reine. Enthousiasmé de démontrer ses talents à la reine d'Angleterre, l'homme accepta l'invitation. Deux jours plus tard, il arriva à Aix-les-Bains en carrosse. Il se pointa à la résidence sise au bord du lac du Bourget. Le médium, bizarrement vêtu, fut accueilli par la princesse Beatrice.

« Mère, Monsieur Alvari est dans le hall d'entrée », annonça-t-elle en pénétrant dans la pièce où la souveraine rédigeait ses lettres.

« Très bien ! Faites-le patienter... », répondit-elle en terminant son courrier.

Plus d'un mois s'était écoulé depuis le début de ses vacances dans le sud-est de la France. Loin de ses proches, la reine correspondait régulièrement avec la comtesse d'Essex. Dans cette dernière lettre, elle voulait lui faire part de la visite de l'homme aux pouvoirs surnaturels.

Ma chère Alexandra,

Peut-être ai-je perdu la raison mais j'ai décidé de rencontrer un certain Rodrigo Alvari. Je ne sais nullement si sa réputation a traversé la Manche, mais ce dernier a – paraît-il – le don de communiquer avec les morts. Si cela est vrai, alors je prends le risque de contacter mon Albert. Dieu me punira sûrement pour ce geste, qui va à l'encontre de ses enseignements.

Votre affectionnée amie,

Victoria R

La souveraine rejoignit son invité près des portes principales de la villa. Lorsqu'elle remarqua ses vêtements, pour le moins hors norme, elle n'était plus aussi certaine de vouloir poursuivre sa démarche. Ce dernier portait une cape, un chapeau haut-de-forme et des bottes noirs. Sur son visage, une affreuse cicatrice lui enlevait le peu de charme qui lui restait.

« Votre Majesté, c'est un privilège pour un humble médium de vous rencontrer. Il ne m'est pas coutume de discuter avec de puissantes souveraines comme vous », dit-il en retirant son chapeau.

« Sachez que je ne suis pas l'une de ces petites sottes d'aristocrates. J'ai demandé votre présence afin de vérifier de mes propres yeux les dires de plusieurs. Si l'idée vous passait par l'esprit de m'escroquer, mes hommes vous jetteraient en

dehors de cette résidence sans aucune délicatesse »,
avertit la reine en fixant durement l'homme.

« Soyez sans crainte, je ne suis pas de ce genre de
charlatan », répondit Alvari en faisant une révérence.

Après cette mise en garde, elle l'invita à la suivre
jusqu'à l'une des salles à manger. Une table ronde et
quatre chaises se trouvaient au milieu. Des chandeliers massifs étaient accrochés aux murs. Victoria lui
indiqua une chaise.

« Nous attendrons l'arrivée d'une amie avant de
commencer la séance », souligna la vieille dame en
retournant vers le hall d'entrée.

Le médium s'exécuta sagement. Assis, il examina
la pièce d'un œil suspicieux. *Peut-être est-ce un
piège ?* songea-t-il un instant avant de réprimer cette
peur. Tant de gens voulaient lui faire la peau qu'il en
était devenu légèrement paranoïaque. Pendant ce
temps, l'impératrice se présenta à la villa de la veuve.
Tout aussi craintive que la reine, elle demeura sur
ses gardes.

« Croyez-vous que nous sommes en plein
délire ? » questionna Eugénie en se demandant si la
folie ne venait pas de les frapper.

« Nous le saurons assez tôt ! » répliqua Victoria en
esquissant un sourire sarcastique.

La souveraine, sa cadette et son amie se dirigèrent vers la pièce où les attendait patiemment l'individu. Elles s'assirent sur les trois chaises restantes.

Victoria faisait face au médium, car elle voulait s'assurer de l'authenticité des dons. Pendant ce temps, une servante alluma les bougies beiges des chandeliers.

« Je vous invite à déposer vos mains sur la table tout en gardant un silence complet », demanda Alvari d'une voix mystérieuse.

Les trois femmes placèrent leurs paumes sur la nappe, presque inquiètes du timbre de voix du médium. L'homme poursuivit son rituel pour prendre contact avec les disparus. Soudain, il entra dans une troublante transe. Ses yeux bougeaient dans tous les sens. Rodrigo Alvari se tortilla de manière anormale. De petits gémissements irréguliers sortirent de sa bouche.

« Je suis Albert, prince consort, je veux parler avec mon épouse », dit l'individu habité par l'esprit du noble germanique.

La scène était des plus grotesques. Elle aurait paru absurde à quiconque serait arrivé brusquement sur les lieux. Offusquée, Victoria se leva d'un bond, ce qui fit tomber sa chaise à la renverse. À l'évidence, cet imposteur n'avait aucun pouvoir surnaturel.

« Comment osez-vous vous prétendre médium ? » hurla la puissante femme en frappant la table avec l'un de ses poings.

« Madame, je vous assure que le prince avait pris possession de mon corps », s'exclama l'homme, bouleversé par la violente réaction de la souveraine.

« Gardes ! Cessez de vous ridiculiser… Toute cette mascarade n'avait rien à voir avec les esprits. Vous êtes un profiteur de la pire espèce », s'écria-t-elle avec exaspération.

« Très bien ! Je quitte… », déclara l'invité en reprenant son chapeau noir.

En vérité, aucune des trois dignités ne pouvait jurer de l'imposture de l'individu. Si son procédé leur parut discutable, l'attitude de Victoria ne leur permit pas d'aller au bout de la séance. Peut-être la reine avait-elle craint de souffrir encore plus du deuil de son époux ? Elle était la seule à connaître la raison de son comportement inattendu.

« Mère, vous sentez-vous mieux ? » questionna la princesse après le départ d'Alvari.

« Oui, cet homme est un imposteur… Votre père est mort et il a essayé de me berner », lança-t-elle en sachant pertinemment que le médium était venu à sa demande.

Témoin de la crise de son amie, Eugénie demeura muette pendant de longues minutes. Elle savait que Victoria avait réagi de la sorte uniquement par peur. Si Albert avait réellement emprunté le corps du médium pour s'entretenir avec elle, la reine n'aurait pas survécu à un choc aussi brutal. *Réveiller les morts n'est pas toujours une bonne initiative*, se convainquit l'impératrice. Après l'incident, aucune d'elles ne rediscuta de cette soirée.

La souveraine et sa fille reprirent la route en direction de la Grande-Bretagne le 5 mai 1890. Les quelques semaines passées au bord du lac du Bourget avaient redonné une bouffée d'énergie à la vieille dame. Loin de l'action de Londres, elle s'était permis de plus longues nuits. Même si Victoria aurait préféré rester encore quelques mois en Savoie, sa position ne le lui permettait pas. Des dossiers importants et des lois urgentes attendaient son approbation avant la mise en œuvre des réformes politiques et sociales souhaitées. Le premier ministre, normalement soulagé de savoir sa maîtresse aussi détachée de ses responsabilités, l'avait suppliée de revenir au pays. Le Parlement était quasi paralysé en raison de l'absence prolongée de la reine. Les partisans d'une république sur l'île profitaient de l'éloignement de la souveraine pour promouvoir leur idéologie.

Le soir même de son arrivée au palais de Buckingham, Victoria reçut la visite de Lord Salisbury. Impatient de faire signer certains documents, le chef du gouvernement ne pouvait attendre un jour de plus.

« Madame, le premier ministre sollicite une audience avec vous », annonça Maggie Browne.

Cette dernière, mise à l'écart pendant des années du fait de la présence de la comtesse d'Essex, reprit sa place de dame de compagnie principale. Alexandra Spencer, devenue trop âgée, avait décidé de se retirer dans une résidence prestigieuse, dans la campagne anglaise. Des maux de dos persistants ne lui permettaient plus de servir adéquatement la reine. Pour la remercier d'avoir occupé ce poste si merveilleusement bien, Victoria lui avait offert un château dans la région de Nottingham. Avec la fortune que lui avait léguée Brandon, l'aristocrate pouvait sans souci subvenir à ses besoins.

« Que me veut-il, à cette heure ? J'arrive à peine de mon séjour à Aix-les-Bains et le voilà ici… Faites-le patienter dans le grand salon ! » répondit la souveraine d'une voix exaspérée.

La suivante retourna auprès du chef du gouvernement et l'invita à prendre place dans un fauteuil du salon. Entre-temps, Victoria descendit l'escalier menant au rez-de-chaussée. Elle pénétra dans la pièce où l'attendait Lord Salisbury, une tasse de thé à la main.

« Monsieur, quel bon vent vous amène à une heure si tardive ? » lança la puissante femme en s'appuyant sur sa canne.

« Votre Majesté, les parlementaires commencent à s'impatienter… Plusieurs lois – approuvées par les deux chambres – n'ont toujours pas été validées par la Couronne royale », expliqua avec doigté l'homme à la barbe touffue.

« Je vois ! Quelles sont ces fameuses lois si urgentes ? » s'exclama-t-elle en s'avançant vers un divan rembourré.

« Madame, en voici une modifiant le système électoral du royaume », dit le politicien en tendant les documents à Victoria.

La souveraine regarda le dossier avec une certaine attention et essaya d'en comprendre le contenu. Non, elle ne saisissait nullement la raison de cette loi.

« Je lis que le Parlement souhaite augmenter le nombre de sièges à la Chambre des communes. En quoi cela aidera-t-il l'administration publique ? » interrogea-t-elle, l'air hébété.

« Voyez-vous, les naissances se multiplient en Grande-Bretagne et il devient important d'adapter la représentativité de la population au sein de l'institution démocratique », expliqua le premier ministre.

« Les députés ne sont-ils pas aptes à faire leurs devoirs même si des enfants naissent au pays ? » questionna la reine en regardant le politicien.

« Certainement, mais leur tâche devient plus ardue. »

« Plus ardue ! En quoi cela peut-il l'être ? Je crois plutôt que les parlementaires souhaitent davantage de confrères sur les banquettes de la Chambre », s'exclama Victoria en ricanant.

Lord Salisbury, prêt à exploser de rage, ferma les paupières quelques minutes. Il était le chef du gouvernement et savait que cette loi était essentielle pour renforcer le Parlement. Une idée lui traversa l'esprit.

« Madame, si une ancienne colonie comme les États-Unis a augmenté le nombre de ses représentants au sein de son institution politique, pourquoi nous, la Grande-Bretagne, ne serions-nous pas en mesure de le faire ? »

Victoria, reconnue pour son mépris pour ce coin de l'Amérique, ne pouvait tolérer que Washington puisse la supplanter. Le premier ministre avait touché son point faible. Cette comparaison venait de mettre un terme au refus de la souveraine d'avaliser les lois que lui soumettait son premier ministre.

« Parfait ! Je signerai… Avez-vous une autre loi du même genre ? » demanda la dame corpulente.

« Oui, mais elles peuvent attendre à demain… Par contre, je dois vous informer qu'en Irlande il y a une vague de patriotisme en ce moment. Un mouvement politique réclame plus de pouvoirs à Dublin. Des politiciens locaux souhaitent créer leur propre Parlement dans lequel ils voteraient leurs projets de loi », annonça l'homme en frottant les boucles de sa barbe épaisse.

« Que me dites-vous là ? Pourquoi veulent-ils tous changer ce qui fonctionne déjà ? » déclara-t-elle en levant péniblement les bras vers le plafond.

« Les temps changent... Les gens veulent entrer dans le XXᵉ siècle », dit le parlementaire en souriant.

« Je refuse de reconnaître une telle mouvance... L'Irlande fait partie de l'Empire et doit rester sous le giron de Londres », lança la reine d'un ton peu conciliateur.

« Sa Majesté peut compter sur l'appui de son gouvernement pour renforcer la position de la Couronne royale concernant l'île voisine », répondit Lord Salisbury.

Ce dernier, un colonialiste acharné, espérait convaincre sa maîtresse de l'utilité de dominer les insulaires avec une main de fer. Il savait que la reine n'accepterait jamais la demande des Irlandais. Si elle avait cédé devant ses sujets, son pouvoir en aurait été affaibli. Non, tant dans l'esprit de la souveraine que dans celui de son premier ministre, les colonies ne devaient pas obtenir davantage de liberté. Leur champ de compétences restreint était justement garante de la survie de l'Empire. La Grande-Bretagne devait garder la main mise sur tous ses territoires aux quatre coins du globe. Malgré la dureté de Londres, d'autres pays, comme l'avait fait le Canada, s'orientaient vers l'indépendance. Parmi eux, l'Australie était sur le point de réclamer sa reconnaissance sur le plan politique. Heureusement, certaines parties de l'Empire avaient moins de facilité à se prévaloir de leur légitimité. Ce fut le cas des Indes, en Asie, que l'ancien premier ministre Benjamin Disraeli avait réussi à soumettre. Ce dernier, par des manœuvres pas nécessairement recommandables, avait élevé Victoria au rang d'impératrice des Indes à la fin des années 1870.

En 1895, l'Église d'Angleterre mit sur pied une assemblée extraordinaire afin de redéfinir les grandes lignes directrices de l'anglicanisme. L'archevêque de Cantorbéry – avec la collaboration de ses pairs – avait décidé d'en moderniser le visage. D'importants mouvements de pensée circulaient sur l'île et ailleurs dans le monde. Des pratiques, jadis ignorées par les gens, prenaient naissance un peu partout. Ces dernières relevaient davantage de la croyance ésotérique. Afin de faire face à ce fléau, les hommes d'Église devaient offrir à leurs fidèles des outils pour combattre leurs tentations. Vers le milieu de mai, Edward White Benson se présenta au château de Windsor pour s'entretenir avec la souveraine. L'ecclésiastique devait convaincre le gouverneur suprême d'entériner les décisions des dirigeants anglicans. La rencontre se déroula dans les jardins florissants du domaine.

« Votre Majesté, il est impératif que les protestants s'adaptent aux changements. Nous perdons quotidiennement des fidèles au profit de nos ennemis », déclara le religieux à l'âge plus que vénérable.

« Votre Éminence, qu'entendez-vous par vos propos ? » répondit Victoria en avançant à pas de tortue sur la pelouse fraîche.

« Madame, peut-être devrions-nous donner plus de place aux femmes. »

294

« Croyez-vous sincèrement qu'il s'agit de la bonne solution ? Si le sexe faible se mêle des affaires religieuses, qui s'occupera de l'éducation des enfants ? » répliqua la souveraine.

« Je comprends votre argument… mais la forte majorité de nos paroissiens sont des mères », ajouta l'ecclésiastique en tenant une Bible entre ses mains plissées.

« Donc, selon vous, Monseigneur, les femmes devraient recevoir l'appel du Tout-Puissant ? »

« Effectivement ! » s'exclama-t-il en regardant la souveraine.

« Je ne peux autoriser une telle demande… Je suis désolée de vous refuser cette requête, conclut-elle. Pouvez-vous me renseigner sur la situation de notre religion dans les colonies de l'Empire ? » demanda-t-elle pour changer de sujet.

« Nous sommes présents sur presque la totalité des continents. Notre influence est grandissante, notamment dans les régions de l'Afrique », informa l'archevêque de Cantorbéry.

« Excellente nouvelle ! » déclara-t-elle en essuyant son front avec un mouchoir brodé.

Après quelques échanges sur leur entourage respectif, l'homme d'Église et la reine se quittèrent en se saluant. Edward White Benson reprit la route de Londres. Victoria, pour sa part, poursuivit sa promenade sur le domaine du château de Windsor.

Sous les rayons chauds du soleil, la femme vêtue de noir admirait les fleurs colorées des parterres. Dans ce havre de paix, elle se sentait épargnée par le changement qui bousculait le monde. Le temps semblait s'être arrêté dans cette campagne anglaise. En prenant un sentier menant vers la forêt, la souveraine remarqua le mausolée de sa famille. Le petit bâtiment, construit par ses prédécesseurs, abritait les dépouilles de quelques dignités de la dynastie. Elle se dirigea vers le monument funéraire afin de se recueillir auprès des disparus. Devant l'entrée, elle prit une bouffée d'air frais et ouvrit l'une des deux portes en cuivre. Avec une certaine difficulté, la souveraine se faufila à l'intérieur. Le dos courbé par la vieillesse, elle s'avança dans la pénombre. Seuls quatre vitraux jaunes et bleus permettaient à la lumière du jour d'éclairer le mausolée. Devant elle, la sépulture de sa mère était recouverte de poussière. D'un geste maladroit, elle souffla sur le tombeau. Des milliers de particules s'envolèrent dans l'air étouffant. La reine plaça sa main droite sur le tombeau où reposait le corps de la duchesse de Kent. Le cœur chagriné, la puissante femme souffrait de la disparition de cette dernière.

« Mère, je sens ma fin venir », dit-elle à voix basse en versant une larme.

Après cette courte déclaration, la souveraine se tourna vers l'emplacement où reposait la dépouille de son époux. Une plaque en cuivre était installée sur le devant de la tombe. L'écriteau affichait le nom du prince de Saxe-Cobourg-Gotha. À la vue du titre de son bien-aimé, la reine éclata en sanglots. Une trentaine d'années s'était écoulée depuis la mort du noble. Malgré le temps, Victoria ne passait pas une journée sans évoquer le prénom d'Albert. Les moments les plus douloureux coïncidaient avec des dates significatives telles que Noël ou l'anniversaire de naissance de son mari. Âgée de soixante-seize ans, la vieille dame priait le Seigneur de venir la chercher. Elle n'en pouvait plus de vivre dans la tristesse et d'endurer ses douleurs physiques.

« Albert ! Mon amour… Je viens vous rejoindre », hurla la souveraine en se jetant sur le plancher de dalles.

Les yeux remplis d'eau, elle voulait que tout s'arrête. Les années de bonheur auprès de son mari lui manquaient cruellement. Elle n'avait jamais retrouvé la joie d'aimer un autre homme. Lorsque le prince consort avait quitté la terre, il avait emporté le cœur de sa bien-aimée. Jusqu'à ce jour, Dieu lui avait enlevé son père, sa mère, son époux et deux de ses enfants.

« Pourquoi dois-je voir tous mes proches m'être arrachés ? » s'écria-t-elle, allongée sur le sol poussiéreux.

Épuisée par tant d'agitation, Victoria entra dans un sommeil profond. Entourée de ceux qu'elle aimait, elle plongea dans un doux rêve. La scène se déroulait pendant les vacances hivernales de décembre 1858. Au milieu du salon du manoir Osborne, elle pouvait revoir le visage d'Albert. Ce dernier, assis dans un fauteuil, lisait un livre écrit en allemand. La reine reconnut immédiatement sa moustache qu'elle aimait tant. Des rires d'enfants animaient la résidence. La duchesse de Kent prenait place sur un divan. La vieille dame s'exerçait au crochet. Tout semblait si calme sur l'île de Wight en cette période enneigée.

« Votre Majesté, réveillez-vous ! » dit une voix masculine.

Soudain, la reine sortit de ses songes pour revenir à la dure réalité. Au-dessus d'elle, un jardinier l'interpellait afin de s'assurer de son bien-être. En apercevant la porte en cuivre entrouverte, l'homme avait été pris de curiosité. Il avait pénétré dans le mausolée et avait découvert le corps immobile de sa maîtresse. Paniqué, il s'était approché d'elle pour la réveiller.

« Merci, je vais bien ! » s'exclama la puissante femme, un peu amère d'avoir été tirée de son merveilleux rêve.

Les mois suivants n'arrangèrent en rien l'état alarmant de la souveraine du Royaume-Uni. Régulièrement, elle sombrait dans une folie passagère. Isolée au château de Windsor, elle ne recevait pratiquement plus de visite. Le prince de Galles, à l'aube de ses cinquante-cinq ans, remplissait la plupart des engagements de sa mère. Dans les salons d'aristocrates, il était surnommé « le régent ». Le peuple, en admiration devant la force de caractère de sa maîtresse, lui démontrait toute son affection.

Des lettres d'encouragement arrivaient par dizaines au palais de Buckingham. Chacune d'elles était lue par des employés au service de Victoria. Les plus significatives prenaient le chemin du château de Windsor. Seule dans l'antichambre, la vieille dame en lisait quelques-unes prises au hasard. Certaines lui redonnaient le sourire aux lèvres alors que d'autres lui arrachaient des larmes. La souveraine prenait plaisir à éplucher les nombreux messages de ses sujets. Lorsque sa vision l'empêchait de poursuivre sa lecture, elle réclamait la présence de sa fille. La vie suivait son cours malgré la grande détresse qui habitait la veuve. Rien ni personne ne pouvait la sortir de sa prison intérieure.

Au début de l'année 1896, un drame frappa la princesse Beatrice. Parti en guerre en Afrique pour le compte de l'Empire, le prince Henry de Battenberg contracta la malaria. La région où avait lieu le conflit était infestée de moustiques porteurs du paludisme. L'une des piqûres infecta le sang de l'époux de la cadette et il en mourut quelques jours plus tard. À son tour, elle devint veuve à l'âge de trente-neuf ans. Sans ressources, elle dut demeurer auprès de sa mère. Cette dernière, par égoïsme, fut plutôt satisfaite de la tournure des événements. Seule la princesse devenait la principale dévouée auprès de la reine et elle consacrera sa vie à lui tenir compagnie.

Victoria devint le plus vieux monarque de l'histoire royale de l'Angleterre, de l'Écosse et de l'Irlande. Jamais aucun autre souverain de l'île n'aura régné aussi longtemps qu'elle. En franchissant le mois de septembre 1896, elle déclassa son grand-père, le roi George III. Pour célébrer l'événement, le premier ministre proposa des festivités dans toutes les colonies. Épuisée par son état précaire, la reine demanda de repousser l'initiative jusqu'à son jubilé de diamant, l'année suivante. Devant la requête de sa maîtresse, Lord Salisbury se plia à sa volonté. Le politicien voulait profiter de l'occasion pour renforcer l'image de la monarchie auprès des dépendances.

Comme prévu, à l'été 1897, le gouvernement organisa les célébrations du soixantième anniversaire de l'accession au trône de la reine. Même si elle fut couronnée en 1838, Victoria avait hérité du titre l'année précédente. Dans les faits, elle dirigea le royaume dès la mort de son oncle, quelques semaines après son dix-huitième anniversaire. L'un des membres du Parlement proposa d'inviter les dirigeants des principaux pays de l'Empire. Le politicien voyait dans cet événement une occasion unique de montrer le faste de la royauté. Les rues de la capitale furent décorées de banderoles aux couleurs du drapeau du royaume. Des fanfares jouaient de la musique sur la rue devant le palais de Buckingham. La veille des festivités, une réception fut donnée au Guildhall en l'honneur de la souveraine. Assise dans un fauteuil roulant, Victoria accueillit chacun des chefs de gouvernement des colonies.

300

« Monsieur Laurier, vous me voyez ravie de votre présence à Londres », s'exclama la puissante femme en saluant le premier ministre du Canada.

Toute la soirée, les personnalités discutèrent à tour de rôle avec la souveraine. Chacun voyait en cette femme un courage inébranlable. Malgré les terribles drames et les douloureuses épreuves qu'elle avait connus, elle s'était toujours tenue droite devant son peuple. La reine était devenue un véritable symbole de moralité pour ses sujets. Pour l'occasion, le prince de Galles lui offrit un cheval. Tous connaissaient l'intérêt de Victoria pour cet animal gracieux et robuste.

« Mon fils, je vous remercie pour ce splendide présent. Je le nommerai Bertie, en mémoire de votre père », lui dit-elle en guise de reconnaissance pour son cadeau.

Le lendemain, les membres de la famille royale assistèrent à un défilé en l'honneur de la reine. Sous une tente immense, les dignités regardaient les chars allégoriques et la marche militaire des soldats de l'Empire. Chaque colonie et dépendance était représentée dans la parade. Des animaux divers provenant de différents continents ainsi que des sujets vêtus de leurs costumes traditionnels avançaient au rythme de la musique. Des centaines de milliers de curieux s'étaient massés le long du parcours. Tous voulaient se divertir en admirant les étranges bêtes jusqu'ici inconnues des habitants de l'île. Au dire des observateurs, jamais la Grande-

Bretagne n'avait connu une journée aussi mémorable. Le pays était devenu la principale puissance de la planète. Toute l'Europe jalousait la situation triomphante du royaume de Victoria, en particulier l'Empire allemand et la République française.

L'année suivante, un meurtre crapuleux, celui de l'impératrice Sissi, l'épouse de l'empereur d'Autriche, bouleversa la souveraine. Victoria avait elle-même échappé à plusieurs tentatives d'assassinat durant son règne. Tout comme la pauvre impératrice, elle aurait pu périr sous l'arme d'un individu dérangé.

CHAPITRE X
La fin de l'ère victorienne

Manoir Osborne, 1900-1901

DÈS LA première semaine de novembre 1900, la reine tomba grièvement malade au palais de Buckingham. Âgée de quatre-vingt-un ans, Victoria voyait sa santé décliner à une vitesse vertigineuse. Elle était presque incapable de bouger la plupart des parties de son corps. Elle souffrait de troubles de la vision, de rhumatisme, d'embonpoint et de faiblesse aux jambes. Elle passait ses journées entières clouée à son lit, alors que sa fille lui tenait compagnie. Les rares déplacements que la vieille dame effectuait se limitaient aux autres pièces de ses appartements privés. Elle, jadis passionnée de promenades en nature, ne pouvait plus sortir dans ses jardins. Elle était atteinte d'un début de démence dégénérative, ce qui l'empêchait de se montrer en public. Beatrice veillait sur les derniers jours de sa mère avec une certaine mélancolie. La princesse était mitigée dans ses sentiments quant au sort prochain de la souveraine. Dans un sens, la mort délivrerait la puissante femme de son insoutenable condition mais, dans l'autre, la cadette perdait celle pour qui elle avait tout sacrifié. Jour après jour, Victoria semblait s'effacer devant ses malaises mentaux et physiques.

« Ma chérie… je veux… je veux que vous m'ameniez sur… l'île de Wight », dit la reine en prononçant ses mots avec moult difficulté.

« Mère, votre situation ne vous le permet pas », répondit Beatrice en se penchant sur le corps allongé dans le lit.

« Wight ! » s'écria Victoria en gémissant de douleur sous les couvertures.

La princesse, malgré son désaccord, informa la dame de compagnie principale de préparer les bagages de la souveraine. À l'évidence, la reine sentait sa fin approcher. Après le décès du prince consort, elle avait – à plusieurs reprises – mentionné aux membres de sa famille qu'elle souhaitait terminer sa vie au manoir Osborne. L'endroit symbolisait les moments heureux du couple royal et de leurs enfants. La cadette avait le devoir de respecter les dernières volontés de sa mère mourante. Par affection, elle organisa le départ de la souveraine.

« Maggie, assurez-vous d'inclure des vêtements confortables dans les malles de Sa Majesté », avait précisé la princesse.

Beatrice était persuadée que sa mère ne reviendrait pas au palais de Buckingham. Elle craignait, par-dessus tout, que la souveraine trouve la mort sur l'île de Wight. Comme un animal blessé, Victoria cherchait un refuge pour terminer ses jours. Pour cette raison, la cadette décida d'avertir le premier ministre et le chef spirituel de l'Église anglicane de ses appréhensions. Un messager fut envoyé auprès des deux hommes pour les en informer. Le lendemain, l'archevêque de Cantorbéry se présenta à la résidence royale. Vêtu de ses vêtements liturgiques, il fut reçu en audience par le gouverneur suprême de la foi protestante en Grande-Bretagne. Assis sur une chaise en bois placée près du lit de Victoria, l'ecclésiastique écoutait les paroles de la femme.

« Votre Émi... Éminence, je vous demande de... de ne pas ouvrir les... portes du sacerdoce aux... fem... femmes. L'Église d'An... gleterre doit servir de référence en matière de morale pour... le peuple. Le sexe faible... doit rester auprès... de... ses enfants, voilà la place d'une... mère. »

« Votre Majesté, je vous jure que, sous mon mandat, les femmes n'accéderont pas aux vœux anglicans », promit le religieux en embrassant la main de sa maîtresse.

Lorsque les directives de Victoria furent énoncées, l'archevêque de Cantorbéry quitta la chambre. Avant de sortir du palais de Buckingham, il salua la princesse.

« Votre Altesse Royale, croyez-vous que Madame nous reviendra en janvier ? »

« Je ne crois pas ! » répondit Beatrice, ébranlée par la situation.

Une quinzaine de minutes plus tard, le premier ministre fit son apparition au palais. Il était accompagné par l'un de ses ministres préférés. Après avoir échangé quelques mots avec la fille de la reine, le politicien se rendit à l'étage supérieur. L'autre parlementaire attendit au grand salon avec Beatrice. Lord Salisbury pénétra sur la pointe des pieds dans la chambre sombre. Seule une poignée de chandelles permettait de voir à l'intérieur de la pièce. Il s'avança jusqu'au lit où l'attendait Victoria. À l'instar du précédent visiteur, le chef du gouvernement prit place dans le fauteuil.

« Votre Majesté, la Chambre des lords et la Chambre des communes se joignent à moi pour vous souhaiter un prompt rétablissement au manoir Osborne », dit-il, un peu mal à l'aise devant la malade.

« Cessez… vos paroles de parle… mentaire… Gardez-les pour… vos électeurs », déclara la reine, butant sur ses mots.

« Madame, je vois que vous n'avez pas perdu votre sens de la répartie », répliqua le premier ministre en souriant.

« Lord Salis… bury, je vous demande… de guider les pas de… mon fils aîné. Lorsqu'il de… deviendra roi, il aura besoin de vos… conseils avisés. Ne faites pas… ce que Lord Melbour… bourne a fait avec la jeune… femme que j'étais. Soyez moins… égoïste et songez au bien de la…. Grande-Bre… Bretagne et de l'Empire », exigea la vieille dame en regardant le politicien avec ses yeux fatigués.

« Votre Majesté peut compter sur moi pour appuyer le prince de Galles lorsqu'il accédera au trône royal », jura le premier ministre.

Soulagée par les propos du parlementaire, la reine ferma les paupières pour se reposer. Lord Salisbury se leva doucement, fit une courte révérence et quitta la chambre. Seul dans le couloir, l'homme savait qu'il venait de discuter pour la dernière fois avec sa maîtresse. L'état de santé de Victoria n'allait pas s'améliorer, bien au contraire. D'un pas calme, il redescendit l'escalier en direction du rez-de-chaussée, en revoyant constamment le visage de la puissante femme. Il ressentait une tristesse à l'idée de perdre la souveraine. Le peuple, en admiration devant cette veuve, allait-il réagir négativement à sa disparition ?

« Princesse, votre mère est une souveraine remarquable », dit-il en rejoignant Beatrice et son ministre.

« La plus grande reine que la Grande-Bretagne ait jamais connue », répondit-elle en saluant les deux invités avant qu'ils ne quittent le palais.

Le jour suivant, sous un ciel floconneux, un carrosse et une escorte de huit gardes armés attendaient dans la cour intérieure. Dans le hall d'entrée, la reine, emmitouflée dans des vêtements épais, gémissait de douleur. Malgré son mal accentué, elle refusait de revenir sur sa décision.

« Nous partons... pour... Wight ! »

Connaissant l'entêtement de sa mère, la princesse n'insista pas davantage. Avec l'intervention de trois valets musclés, la reine se retrouva finalement sur le banc en cuir du véhicule. Beatrice recouvrit le bas du corps de la souveraine avec une couverture de laine. Assises l'une en face de l'autre, la mère et la fille étaient prêtes pour la route vers le sud. La berline noire, tirée par quatre chevaux bruns, s'engagea sur les rues de Londres à une vitesse raisonnable. La neige recouvrant les rues nuisait à la circulation locale. Le véhicule, après de multiples manœuvres du cocher, sortit de la capitale. Alors que le carrosse s'apprêtait à prendre le chemin désigné, Victoria lança un petit cri.

« Windsor ! »

Pas tout à fait certaine du mot que sa mère venait de prononcer, Beatrice ne manifesta aucune réaction.

« Windsor ! »

« Que dites-vous ? » demanda la princesse en se penchant vers sa mère.

« Je veux... aller à... Windsor », répéta la vieille dame du bout des lèvres.

« Pourquoi ? Nous allons au manoir Osborne... comme vous l'avez exigé », répondit la fille en regardant le visage de la veuve.

« Windsor ! » s'exclama la malade en toussotant.

Vraiment, la souveraine devenait détestable avec l'âge. Exaspérée par l'attitude de sa mère, la cadette fit signe au cocher, par l'un des châssis, d'immobiliser le véhicule. L'homme s'exécuta et se rangea en retrait de la route. Il descendit de son poste de conduite et s'approcha de la portière des passagères.

« Votre Altesse Royale, que se passe-t-il ? » s'informa l'individu au ventre proéminent.

« Sa Majesté désire faire une escale au château de Windsor », dit la fille de la reine.

« Si Madame le demande... », répliqua le cocher en remontant d'où il venait.

Au bout de deux heures, soit le double du temps lorsque la température est plus clémente, le cortège traversa l'enceinte de la résidence royale. Le carrosse et les chevaux se dirigèrent vers le débarcadère habituel.

« Mausolée ! » balbutia Victoria à sa fille.

Sans poser de questions, Beatrice ordonna au cocher de prendre le sentier menant au petit bâtiment. De peine et de misère, le véhicule s'aventura dans la boue et la neige. Après de nombreux obstacles, la berline arriva à destination. La cadette connaissait la raison de cette décision de dernière minute. Elle ouvrit la portière et demanda aux hommes qui les accompagnaient d'aider Victoria à entrer dans le mausolée. Il était hors de question d'utiliser le fauteuil roulant dans de telles conditions. Deux gardes soulevèrent délicatement leur maîtresse et l'amenèrent à l'endroit désiré. À l'intérieur, la souveraine leur fit signe tant bien que mal de l'approcher du tombeau de son défunt époux. Elle déposa sa main sur la sépulture et versa un ruisseau de larmes.

« Je viens vous rejoindre... », chuchota-t-elle en tremblant de tout son corps.

Témoins de la touchante scène, les hommes furent bouleversés. Ils n'avaient jamais vu la reine dans un état aussi vulnérable. Par respect, ils inclinèrent leur tête un bref moment. Après s'être recueillie, la souveraine fut prête à reprendre la route vers le manoir Osborne. Elle fit un sourire à Beatrice afin de faire passer son message. Le cortège retourna sur le chemin, en direction du port. Rendues au sud de l'Angleterre, la reine et son escorte embarquèrent à bord d'un bateau. Après une courte traversée en mer, l'embarcation atteignit le port de l'île de Wight.

« Som... sommes-nous arrivés ? » demanda la vieille dame.

« Oui, mère ! » répondit la cadette en poussant le fauteuil roulant de la malade dans la neige.

En cette période de l'année, l'endroit ne comptait que très peu de résidents. Seuls des insulaires, installés depuis des générations, y vivaient de manière permanente. Ils étaient tous des bergers de père en fils. Sur la terre ferme, un traîneau tiré par quatre chevaux blancs attendait la passagère royale. Après avoir installé Victoria sur un banc en bois recouvert d'une peau aux longs poils, les gardes firent descendre leur monture du bateau. Lorsque le cortège fut prêt, il avança dans la neige épaisse. Un vent glacial de la mer souffla sur le visage des voyageurs. Le trajet fut d'une durée plutôt brève, car le manoir Osborne n'était qu'à une centaine de pas du port. Pour son séjour indéterminé, la reine n'était entourée que d'une poignée de domestiques. Tout au plus une vingtaine de servantes avaient été réclamées pour servir leur maîtresse. En ce qui avait trait à la sécurité des lieux, cette charge incombait aux gardes de l'escorte.

Une semaine après son arrivée, la souveraine – à l'agonie – reçut un message de Londres. Sa dame de compagnie principale venait de mourir dans une atroce souffrance. Alors qu'elle se rendait chez un bijoutier pour se procurer un collier de perles, un voleur s'était jeté sur elle pour l'assassiner froidement. À coups de couteau, l'agresseur lui avait arraché la vie pour une poignée de monnaie. À la suite de la lecture de cette lettre par Beatrice, Victoria exigea l'envoi d'une aide financière à la famille de sa suivante. Elle dicta également ses condoléances aux proches de celle qui avait été à son service pendant de nombreuses années. Beatrice s'assura que les demandes de sa mère soient exécutées.

Les sujets de la souveraine, répartis sur les cinq continents, manifestaient ouvertement leur tristesse.

Ils craignaient de perdre celle qu'on surnommait « la grand-mère de l'Europe ». De son vivant, elle fut apparentée à de nombreuses familles royales et impériales. Ses neuf enfants avaient épousé des dignités provenant tant de la Grande-Bretagne que de pays étrangers. Les premiers ministres des colonies et les dirigeants des dépendances de l'Empire s'informaient régulièrement de l'état de santé de leur maîtresse. L'archevêque de Cantorbéry fit dire des prières en faveur du rétablissement de la reine dans la plupart des églises et cathédrales du royaume. L'heure était critique pour la puissante femme d'Angleterre.

Le 24 décembre, soir du réveillon de Noël, l'héritier du trône royal et son épouse tinrent compagnie à la veuve. Pour l'occasion, les gardes avaient descendu le lit de la malade jusqu'au salon principal. Ils l'installèrent près du foyer en pierre afin d'offrir de la chaleur à Victoria. Des œuvres d'art achetées par le défunt prince de Saxe-Cobourg-Gotha décoraient la pièce. Plusieurs des tableaux et des sculptures qui y trônaient provenaient du pays natal d'Albert. Loin des siens, il pouvait se remémorer son enfance. Par respect pour son mari, la souveraine ne les avait jamais retirés du manoir Osborne. Au contraire, après le décès d'Albert, elle aimait se retrouver au milieu des souvenirs de son bien-aimé. Grâce à l'intervention des meilleurs médecins de la capitale, la veuve reprit du mieux. Les médicaments qu'elle ingurgitait lui redonnèrent une certaine lucidité.

« Mère, croyez-vous que père aurait aimé revoir la Saxe avant de mourir ? » questionna le fils aîné en fumant un cigare.

« Certainement, il me parlait souvent du château de Rosenau et du paysage des environs », déclara la reine, couchée sous ses épaisses couvertures.

« Pourquoi le prince et vous n'avez jamais visité cet endroit ? » ajouta Albert, assis dans un divan magnifiquement sculpté.

« Nous voulions… Mais mes responsabilités m'empêchèrent de réaliser son désir », avoua Victoria en repensant au noble germanique.

« Regrettez-vous d'avoir hérité de la couronne ? » questionna l'homme dans la soixantaine.

Les propos du prince de Galles provoquèrent une remise en question chez la corpulente dame. Elle s'était donnée corps et âme à la Grande-Bretagne et à l'Empire depuis ses dix-huit ans. Elle n'avait jamais reconsidéré sa position à la tête du pays. Que lui restait-il aujourd'hui ? Après plus de soixante années de règne, pouvait-elle être fière de son héritage royal ?

« J'ai été préparée, très tôt, à assumer mes devoirs légitimes… Alors, non ! J'ai fait de mon mieux pour élever le royaume au-dessus des autres nations », répondit-elle avec conviction.

« Pensez-vous que la monarchie survivra aux changements du XXe siècle ? » interrogea le fils aîné.

« Je ne serai plus de ce monde pour en témoigner... Par contre, vous, si ! Soyez le plus dévoué des monarques lorsque vous monterez sur le trône de vos ancêtres. N'oubliez jamais que les politiciens passent, mais que la couronne, elle, restera », conseilla la vieille dame en fixant les flammes du foyer.

Lorsque l'horloge sonna minuit, les dignités se souhaitèrent leurs meilleurs vœux. Beatrice, une passionnée de musique, prit place sur le tabouret devant le piano à queue. Elle fit danser ses doigts sur le clavier comme une ballerine le ferait sur une scène. Elle joua les plus belles notes du répertoire des grands compositeurs des siècles passés. Des œuvres de Mozart et de Beethoven résonnèrent dans le manoir Osborne. Cachées derrière les portes de la cuisine, cinq servantes écoutaient avec joie la mélodie. Assis près de l'instrument, Albert, la princesse Alexandra et la souveraine se laissaient emporter par la volupté des sons. Victoria repensa à ses jeunes années auprès de son époux. Le couple royal avait participé à tellement de bals qu'Albert et elle étaient devenus de véritables experts en danse. Ils avaient valsé dans presque toutes les salles de Londres. De nombreux souvenirs se bousculèrent dans l'esprit de la veuve en entendant la musique.

Les jours suivants, la reine, continuellement sous l'effet des médicaments, exigea de faire une promenade en traîneau sur le domaine. Même si un vent féroce s'abattait sur l'île de Wight, elle tenait absolument à sortir. Les semaines passées au lit l'avaient empêchée de profiter de la neige. Amoureuse des quatre saisons de l'année, l'hiver était tout aussi important pour elle.

« Ma chérie, passons quelques heures au grand air », proposa la puissante femme en regardant par la fenêtre de sa chambre.

« Je ne crois pas que vos médecins seraient d'accord avec cette initiative », répondit la princesse en peignant les cheveux blancs de sa mère.

« Je n'ai que faire de leur permission… Je veux me promener dehors », répliqua-t-elle en fixant un oiseau sur une branche de l'arbre qui se dressait devant le bâtiment.

« Très bien ! Nous irons… À une condition, cependant : vous devrez vous vêtir chaudement et porter des lunettes de protection. Vous savez bien que votre vision n'est plus ce qu'elle était », dit Beatrice en relevant les cheveux de la souveraine en chignon.

« Croyez-moi, ce n'est pas uniquement mes yeux qui font défaut ! » ricana la reine en se regardant dans le miroir placé devant elle.

Accompagnée de la princesse, Victoria prit place sur le banc en cuir du traîneau. Le plus jeune des gardes se porta volontaire pour servir de conducteur. La reine était couverte de plusieurs couches de vêtements. Sur sa chevelure, elle portait un bonnet en fourrure de lapin. Beatrice déposa une couverture de laine sur les genoux de la vieille dame.

« J'imagine que vous n'avez pas changé d'idée… », s'exclama la cadette devant le visage enjoué de sa mère.

« Vous me connaissez… », répondit l'autre en clignant de l'œil.

« Effectivement ! » lança-t-elle.

La promenade dura plus de deux heures, au plus grand bonheur de la maîtresse des lieux. Les lames du véhicule avaient laissé des dizaines de traces dans la neige. Malgré un climat hivernal, le traîneau glissa dans chaque recoin de l'île de Wight, à la demande de la souveraine. La petite troupe se rendit au port, sur le bord de la mer et sur les sentiers empruntés par les habitants. Complètement gelée, Beatrice supplia sa mère de rentrer au manoir Osborne. Elle avait les doigts, les orteils et le bout du nez engourdis. Épuisée par ce tour en plein air, la souveraine accéda à la demande de sa fille. Les passagers du traîneau revinrent à la maison. À l'intérieur, la puissante femme et sa progéniture prirent une tasse de thé pour se réchauffer.

« Que ferez-vous lorsque je ne serai plus de ce monde ? » questionna la reine en trempant ses lèvres dans le liquide bouillant.

« Pourquoi me demandez-vous cela ? Vous serez à mes côtés pendant plusieurs années encore », répondit la princesse en détournant le regard.

« Ma chérie, cessez de dire n'importe quoi. Vous savez tout aussi bien que moi que mes jours sont comptés », répliqua Victoria en reprenant une gorgée de sa boisson fumante.

« Madame, il n'y a pas une semaine, vous étiez sur le point de rendre l'âme, et vous voilà maintenant à passer des heures dehors sous un vent glacial. Donc, tout est possible pour ceux qui ont la foi », déclara Beatrice.

« Mon enfant, j'ai quatre-vingt-un ans... Me croyez-vous éternelle ? » dit la vieille dame d'un ton ironique.

« Très bien ! Vous voulez m'entendre dire que ma vie sera terminée parce que vous ne serez plus avec moi ? Oui ! Depuis la mort d'Henry, je n'ai plus que vous dans mon existence », lança la cadette en pleurant.

« Ne soyez pas triste, vous avez été la fille la plus aimable qu'une mère puisse rêver d'avoir. Croyez-moi, je suis consciente du sacrifice que vous avez fait pour vous occuper de ma personne. Je vous en suis pleinement reconnaissante », avoua la mère en déposant sa tasse sur la petite table près d'elle.

Jamais la souveraine n'avait abordé le sujet de cette manière avec la princesse. Beatrice en était même venue à penser que Victoria l'avait enfantée uniquement pour lui tenir compagnie toute sa vie. Elle était heureuse d'entendre ces paroles. Elle savait désormais que son dévouement n'était pas passé inaperçu aux yeux de la reine.

« Mère, vous me rendez joyeuse par vos propos. Je vous remercie pour cette discussion », dit la fille en souriant à la veuve.

Le soir même, Victoria demanda à Beatrice de rédiger une lettre pour l'impératrice Eugénie. Incapable d'écrire à cause de ses mains tremblantes et de sa vue affaiblie, elle devait réclamer l'aide de sa progéniture. La souveraine, assise dans son fauteuil roulant, dicta à haute voix le contenu du message qu'elle voulait faire parvenir à son amie. Pour sa part, la cadette tenait une plume et écrivait les paroles de sa mère sur un papier.

Ma chère Eugénie,

Depuis tant d'années, vous et moi sommes des âmes sœurs. Nous avons surmonté des épreuves similaires au cours de ces décennies. Sachez que la vie ne nous a pas toujours été une fidèle alliée. Je ne m'en plains guère, car elle m'a tellement donné lorsque mon Albert était parmi nous. N'oubliez jamais que Votre Majesté a été une précieuse amie. Sans votre soutien, de nombreux moments de mon existence m'auraient été insurmontables. Je vous en serai reconnaissante pour les jours qu'il me reste à vivre. Madame, prenez soin de vous pour nous deux.

Votre affectionnée amie,

Victoria R

Après avoir rédigé ce message, Beatrice plia la feuille en trois et fit couler de la cire chaude sur le document. À l'aide du sceau personnel de la reine, elle cacheta solidement la lettre. Elle savait que la reine venait d'écrire ses adieux à l'impératrice. La longue et inébranlable amitié – plus de quarante ans – entre Victoria et Eugénie était sur le point de s'éteindre. La mort s'interposait une fois de plus. Cette fois-ci, la puissante femme voulait déjouer les plans de Dieu. Par cette lettre, ce n'était pas le Tout-Puissant qui prenait le contrôle, mais elle. Dans son esprit, son geste lui permettait de couper les ponts de son plein gré et non de force par la mort. Elle n'avait pas eu le temps de faire ses adieux comme elle l'aurait souhaité à la duchesse de Kent, au prince consort et à ses enfants disparus. Par ce dernier message, la reine pouvait partir en paix en ce qui concernait l'épouse du défunt empereur des Français.

Deux jours plus tard, Victoria entreprit de partager ses mémoires. Pour ce faire, elle demanda à sa fille de retranscrire chacune de ses paroles. Allongée sur son lit, elle ferma les yeux et revisita ses souvenirs les plus enfouis. Tout près, Beatrice prenait place sur un fauteuil rembourré. La cadette, impatiente de revivre les précieux moments de l'existence de sa mère, attendait avec intérêt les propos que celle-ci s'apprêtait à lui révéler.

« Lorsque j'étais enfant, la mort de mon père m'a fait atrocement souffrir. Je n'ai jamais compris la raison qui avait poussé le Seigneur à m'empêcher de connaître le duc. Mes oncles me parlaient constamment de lui. Ils n'avaient que de bons mots à son égard. Les soirs, je m'imaginais en sa présence. Il me bordait avant de dormir. Ce n'était que le fruit de mon imagination de petite fille en manque d'affection... », dit la reine d'une voix étranglée.

La princesse rédigeait chaque détail que décrivait la puissante femme. Elle trouvait essentiel de rester le plus près possible de la réalité et de ne pas déformer le vécu de la vie de sa mère.

« La figure paternelle qui a géré mes dix-huit premières années a été Sir John Conroy. Cet individu ignoble et sans scrupules contrôlait tous les aspects de mon éducation. Par ses sales manigances, il a ensorcelé l'esprit de ma mère. En deuil de son époux, la duchesse de Kent était devenue une proie facile pour l'homme. Jamais de toute mon existence je n'ai tant détesté un être que le secrétaire particulier de Sa Grâce Royale. J'ai gardé sous silence ce que je m'apprête à vous révéler. Seul Albert connaissait ce terrible secret. Un peu avant ma majorité, Sir Conroy a essayé de me faire perdre mes capacités en me faisait boire un produit toxique. Avec la complicité de ma mère, Dieu ait son âme, il a voulu me faire signer un acte le nommant auprès de ma personne lorsque j'allais hériter de la Couronne royale. Par miracle, ma bonne gouvernante est intervenue pour me sauver... Baronne Lehzen, sans vous ma vie aurait été catastrophique », dévoila Victoria en repensant à ces affreux moments.

« Qu'avez-vous fait lorsque vous êtes montée sur le trône de vos ancêtres ? » questionna Beatrice, curieuse de connaître la punition administrée à l'individu.

« Je l'ai chassé ! Malheureusement, j'ai réservé le même sort à la duchesse... J'aimais ma mère, mais elle était devenue aussi terrifiante que son secrétaire particulier. Un jour, je l'ai obligée à choisir entre lui et moi », ajouta la reine.

« Qu'a-t-elle fait ? » lança Beatrice.

« Elle m'a choisie... Ou plutôt, elle s'est assurée de garder mes bonnes grâces à son égard. »

La nostalgie s'empara de la veuve lorsqu'elle s'apprêta à poursuivre le récit de sa vie. Le visage inerte de la duchesse de Kent lui revint en mémoire. Elle se rappela les traits fatigués de ce corps détruit par le temps.

« Il faut comprendre que nous nous étions rapprochées après mon mariage avec votre père. Le prince tenait à rétablir les ponts entre elle et moi. Sans la persistance d'Albert, je n'aurais probablement jamais vraiment connu ma mère », précisa-t-elle en serrant les lèvres.

La princesse se sentait privilégiée d'entendre les secrets les plus intimes de la souveraine. Elle savait qu'en partageant son vécu, sa mère replongeait dans ses émotions du passé, lesquelles n'étaient pas nécessairement agréables.

322

« La mort de la duchesse m'a brisé le cœur en mille morceaux. Nous avions perdu tant d'années à nous affronter. Sans Sir Conroy, peut-être aurait-elle été une véritable mère pour moi… Même si votre père et moi étions cousins, je ne l'avais jamais rencontré avant le début de mon règne. Notre première conversation a eu lieu au Guildhall, lors d'un événement donné en mon honneur. Il était resplendissant dans son uniforme et sans doute le plus bel homme de la soirée », déclara la souveraine en souriant au souvenir des images défilant dans sa mémoire.

Beatrice adorait entendre tout ce qui concernait le prince consort. Lorsqu'il mourut, elle n'avait que quatre ans. Elle ne l'avait pas réellement côtoyé. Les paroles de sa mère représentaient les seuls détails de la vie de son père. D'une oreille attentive, elle écoutait les propos de la veuve.

« Le prince est entré dans mon cœur et dans mon existence à une période difficile de mon règne. Trop naïve, j'avais pris part, malgré moi, aux complots de mon premier ministre. Lord Melbourne, en qui j'avais une confiance aveugle, m'a utilisée pour nuire à ses adversaires politiques. Ce petit jeu a détruit ma réputation – encore fragile – au sein de la Grande-Bretagne. Je m'étais mise à dos les autres politiciens, dont Lord Robert Peel. Que je regrette cette jeunesse innocente… Même mes sujets en étaient venus à ressentir de la haine à mon égard. Certains individus ont commis des tentatives d'assassinat envers ma personne. Par miracle, le Tout-Puissant m'a protégée chaque fois », s'exclama la reine en replaçant une mèche de cheveux tombée sur son front.

« Que s'est-il passé pour qu'aujourd'hui votre peuple vous admire autant ? » interrogea la cadette, curieuse de connaître la réponse.

« Votre père ! Il a réussi à renverser l'opinion de mes sujets par de multiples interventions. Le prince n'aimait guère les parlementaires et s'en méfiait comme de la peste. Il m'a poussée à prendre mes propres décisions et à démontrer ma neutralité en toutes circonstances. Avec le temps, Lord Melbourne a disparu de mon cercle d'amis. Il faut avouer que le peuple était tombé sous le charme d'Albert dès notre mariage. Qui ne l'aurait pas été ? Un homme si élégant et raffiné que lui ne pouvait que s'attirer le respect », expliqua la vieille dame.

« Avait-il assisté à votre couronnement ? » questionna Beatrice en regardant sa mère.

« Non, la cérémonie s'est déroulée deux ans avant notre union devant Dieu. Quelle journée mémorable ! J'étais si tourmentée par cet événement que pendant plus d'une semaine je n'ai pas fermé l'œil de la nuit. Je craignais de faire tomber la couronne ou encore de trébucher dans mes vêtements d'apparat. Lorsque l'archevêque de Cantorbéry a terminé son discours, je savais qu'un destin exceptionnel m'attendait. Vous savez, ce n'est pas mon couronnement qui a été la journée la plus importante de ma vie… Non, ça été mon mariage avec le prince de

324

Saxe-Cobourg-Gotha. En m'épousant, Albert a fait de moi la mariée la plus choyée de la Grande-Bretagne. Votre père était le pilier de ma vie et, même après son décès, il est demeuré l'élément central de mon existence », dit Victoria.

« Quels sont vos souvenirs les plus marquants de votre règne ? » demanda la fille de la veuve.

« Probablement notre tournée en Irlande… Mes sujets sur cette île n'étaient pas de fervents défenseurs de la monarchie. Ils voyaient dans la Couronne royale la domination des politiciens sur Dublin. Lorsque nous avons visité l'Irlande, je suis littéralement tombée amoureuse de ce coin de l'Empire. Si votre question avait été posée à votre père, je crois qu'il aurait répondu l'Exposition universelle. Albert a tant donné pour la tenue de cet événement. Vous savez, Londres a été la première ville à organiser cette exposition. Ce fut un succès sur toute la ligne, en grande partie grâce à lui. Il était si ingénieux… », avoua-t-elle en montrant un signe de fierté sur son visage épuisé.

Alors que la reine s'apprêtait à poursuivre le dévoilement de sa vie, une servante annonça la visite inattendue d'un messager de la capitale. Beatrice prit sur elle de recevoir l'individu dans le petit salon adjacent à la chambre de sa mère.

« Veuillez me pardonner ! Nous reprendrons immédiatement après qu'il m'aura transmis son message », s'excusa la princesse en quittant la pièce.

La cadette se dirigea vers l'homme recouvert de neige. Il venait de braver un vent déchaîné. Les milliers de flocons tombant du ciel s'étaient collés sur ses vêtements. Après s'être réchauffé devant le foyer, il remit le message à Beatrice. Le document était cacheté du sceau du gouvernement. Impatiente d'en lire le contenu, la femme se hâta de retrouver la reine.

« Mère, une lettre du premier ministre », annonça-t-elle une fois dans la chambre.

« Ouvrez et lisez-moi le message, ma chère fille », s'exclama Victoria, en espérant une nouvelle réjouissante.

« Madame, Lord Salisbury écrit que la colonie du Pacifique souhaite obtenir son indépendance. Les six régions de l'île d'Australie envisagent de former un seul et même pays dans un proche avenir. Il semblerait que la monarchie ne sera en rien affectée par ce changement », informa la princesse en se tenant debout près du lit.

« Dois-je m'en soucier ou pas ? » demanda la souveraine en haussant les épaules.

« Je crois que le premier ministre veillera à ce que tout se déroule sans problème pour Votre Majesté », répondit Beatrice pour rassurer Victoria.

« Dans ce cas, attendons la suite des événements », s'exclama la puissante femme.

326

« Si vous repreniez là où nous en étions avant l'arrivée du messager… », proposa la cadette en reprenant place dans le fauteuil.

« Votre père m'a soutenue tout le long de notre mariage. Il n'a jamais cessé de me conseiller et de me mettre en garde contre mes ennemis. Tout comme moi, Albert vous adorait du plus profond de son âme. Ses enfants étaient sa fierté et il n'aurait en aucun cas permis que quelqu'un s'en prenne à vous. Même si vous étiez encore une fillette lorsque le prince nous a quittés, il vous aimait sincèrement », dit la reine en tournant sa tête vers sa fille.

Beatrice, les larmes aux yeux, ne pouvait s'empêcher de croire que son père l'avait vraiment chérie de tout son cœur. Au dire de Victoria, il était un homme bon et un époux attentionné. Elle était fière d'être la fille du prince consort.

« Le 14 décembre 1861, ma vie a cessé brusquement. Albert est mort d'une affreuse et interminable maladie. Dieu a décidé de rappeler à lui le prince. J'ai crié, pleuré et prié pour que mon mari me revienne. Rien. Le Tout-Puissant n'a pas répondu à ma requête. Je n'ai jamais oublié votre père, je le jure. Aucun autre homme n'a occupé la place d'Albert dans mon cœur », avoua la veuve, les lèvres tremblantes.

Les blessures, même après une quarantaine d'années, ne s'étaient nullement guéries. Au contraire, plus le temps passait, plus Victoria ne s'ennuyait de son mari décédé. Elle avait si souvent demandé au Seigneur de venir la chercher. Certes, elle avait toujours aimé ses enfants, mais l'absence de son bien-aimé lui était insupportable. Le drame de sa vie n'avait pas été d'envisager sa propre mort, mais davantage d'avoir survécu à celle d'Albert.

« Par la suite, mon existence a été parsemée de deuils et de tristesse. Trois de vos frères et sœurs ont rendu l'âme de mon vivant. Pouvez-vous imaginer la douleur d'une mère lorsqu'elle perd sa progéniture ? Épouvantable ! Alice et Leopold nous ont quitté si soudainement... Alfred, l'année dernière, est mort d'une pénible maladie. S'ajoute à ces souffrances, déjà plus qu'insurmontables, ma propre santé déficiente. Non, la vie ne m'aura pas fait de cadeaux ! » lança-t-elle en revoyant les visages de ses enfants décédés.

Attristée de voir la souveraine dans un tel état, la princesse orienta la discussion vers un thème moins difficile émotionnellement. Elle voulait connaître l'opinion de sa mère sur les premiers ministres en fonction sous son long règne.

« Vous avez mentionné le nom de Lord Melbourne un peu plus tôt... Que pensez-vous de vos chefs de gouvernement en Grande-Bretagne ? »

« Mon préféré a été Benjamin Disraeli... Un parlementaire exemplaire ! Lord Gladstone fut celui avec lequel j'ai le plus détesté collaborer. Il était méprisant et n'avait aucune compassion », dévoila la souveraine.

« Et Lord Salisbury ? » questionna Beatrice en souriant.

« Un homme charmant, sans plus ! » dit-elle du tac au tac.

Lorsque Victoria eut terminé de raconter les grands pans de sa vie, elle s'endormit confortablement dans son lit. Elle venait de repasser les périodes marquantes de son existence et cet exercice l'avait épuisée.

La maladie reprit de plus belle au début de janvier 1901 lorsque Victoria souffrit d'une grippe hivernale. Après une promenade en traîneau, elle tomba dans un délire en raison d'une fièvre incontrôlable. Devant cette situation critique, Beatrice fit venir les hommes de science de Londres. Aucun médicament ne fit effet sur le système immunitaire de la reine. Malgré l'armée de médecins présents, sa santé ne s'améliora pas. Une démence spontanée s'attaqua au cerveau de la souveraine, ce qui fit des dommages importants à son équilibre mental. L'état de la malade était devenu dramatique, à un point tel que la princesse écrivit au prince de Galles pour l'informer de la condition inquiétante de leur mère.

Mon bien cher frère,

En écrivant ces quelques lignes, je vous informe que Sa Majesté est alitée suivant la ferme recommandation de ses médecins. La santé de la reine me préoccupe profondément. Rien ne va plus pour Madame en

ce début de nouvelle année. Je crois que Dieu rappel-
lera notre mère dans les jours prochains. Si cela vous
est possible, il serait bon de vous présenter au chevet de
la souveraine.

Votre sœur bien-aimée,

Beatrice

Elle craignait de perdre la souveraine avant la
fonte des neiges. Même les praticiens ne donnaient
pas plus d'un mois de vie à Victoria. La vieille
femme n'était plus que l'ombre d'elle-même.
Toutes ses facultés, même les plus rudimentaires,
l'avaient abandonnée. La princesse se rendit à l'évidence que la fin était proche pour sa mère. La
malade ne mangeait plus et arrivait à peine à boire
de l'eau. Elle gémissait sans arrêt du matin au soir.
La nuit, elle se réveillait en sursaut et pleurait
pendant de longues minutes. Bientôt, elle cracha du
sang et tomba régulièrement dans des moments
d'inconscience.

Alerté par l'état de santé de sa grand-mère,
l'empereur Guillaume II quitta la capitale allemande
pour se rendre auprès de cette dernière.

Dans ses nombreuses correspondances avec elle,
le noble avait tissé des liens serrés avec le temps. La
reine était la seule de la famille royale à connaître
son secret. Dans l'une de ses lettres, il lui avait avoué
son attirance physique pour le sexe fort. Sans le
juger, la souveraine s'était contentée de lui conseiller de rester discret sur ses conquêtes masculines.

330

Non pas par dégoût face à ses préférences, mais davantage pour sa crédibilité comme monarque germanique. Avec l'appui moral de la reine, le petit-fils vivait son existence le plus sereinement possible.

Il arriva sur l'île de Wight vers le milieu du mois de janvier. Les lieux semblaient déserts tant une tranquillité pesante régnait autour du manoir Osborne. En se présentant à la résidence, il espérait vivre les derniers moments de la puissante femme.

« Comment se porte Sa Majesté en ce moment ? » demanda-t-il, à peine entré.

« Très mal ! Je ne crois pas qu'elle vivra encore plusieurs jours ainsi », répondit sa tante, la princesse Beatrice, en s'approchant de lui.

« Dans ce cas, je tiens à lui tenir compagnie jusqu'à ce qu'elle retourne vers Dieu », s'exclama l'homme en retirant son manteau de fourrure.

Guillaume II se dirigea, d'un pas incertain, jusqu'à la chambre de la mourante. Il ressentit une profonde peine l'envahir, à tel point qu'il eut de la difficulté à respirer. Il ouvrit la porte lentement, sans faire de gestes brusques, et pénétra dans la pièce sur la pointe des pieds. Le souverain était bouleversé de voir sa grand-mère dans un état aussi grave. Si la respiration de la malade n'avait pas été régulière, il aurait pu croire que le corps était sans vie. L'homme à la moustache fine s'avança vers la souveraine immobile dans son lit. Il regarda son visage déformé par les souffrances des dernières semaines. Ses paupières recouvraient ses yeux vitreux. Le teint terne et les cheveux blancs ne correspondaient en rien à la femme que le petit-fils avait vue sur les portraits. Guillaume II n'avait jamais eu le plaisir de rencontrer Victoria. Il prit place sur la chaise près du lit où dormait sa grand-mère. Debout dans le cadre de la porte, Beatrice regardait la scène avec un certain chagrin.

« Albert ! » balbutia la malade.

Hébété par les paroles de la souveraine, l'empereur ne prononça aucun mot. Il ne savait pas comment réagir face à l'appel du nom de son grand-père. La princesse entra à son tour dans la chambre et s'installa debout, derrière son neveu.

« Guillaume, ne dites rien ! Je crois que mère pense que vous êtes le prince consort », chuchota la cadette de la reine.

Victoria, dans sa démence, croyait que son petit-fils était en fait son défunt mari. En vérité, la ressemblance entre les deux hommes était frappante. Tous les deux avaient les mêmes traits fins ainsi qu'une moustache identique. De plus, aux yeux de la reine, ils avaient le même âge. L'empereur avait dans la quarantaine, tout comme son grand-père à son décès en 1861.

« Albert ! Vous êtes revenu pour moi… », dit Sa Majesté avec toutes les difficultés du monde.

Ne sachant trop s'il devait poursuivre son imposture, Guillaume II se tourna vers sa tante. Beatrice lui fit signe de ne pas ouvrir la bouche. Il décida donc de demeurer muet devant les propos incohérents de la malade.

« Mon... bien-aimé... je viens... vous re... joindre bientôt ! Gardez-moi une... petite place au... près de vous », poursuivit la femme.

Incapable de rester insensible aux paroles de sa grand-mère, l'empereur lui répondit par une phrase réconfortante.

« Ma chérie, je vous attends depuis toutes ces années. Je vous ai toujours aimée, jusqu'à ma dernière heure. »

La fille de la reine demeura perplexe devant l'initiative de son neveu. Elle comprit tout de même ce qui l'avait poussé à agir ainsi. La souffrance de la souveraine lui était insupportable. Dans les faits, l'intervention de Guillaume II ne changeait rien quant à la réaction de la malade. Elle était à un tel degré de délire que son esprit ne pouvait nullement faire la différence entre l'imagination et la réalité. La scène était des plus tristes.

Quelques jours plus tard, presque tous les membres de la famille royale entouraient la mourante. Le prince de Galles et Alexandra, le prince Arthur et Luise-Margarete, la princesse Helena, la princesse Louise et John, l'empereur Guillaume II et, bien sûr, la princesse Beatrice. Seule l'aînée, Victoria, n'était pas présente lors des derniers moments de la souveraine. Elle était retenue auprès de ses enfants, atteints d'une grave maladie. Pour accompagner la souveraine vers la mort, l'évêque de Winchester fut réclamé au manoir Osborne. Il pria sans arrêt au chevet de sa maîtresse afin de lui permettre d'entrer au paradis. Le 22 janvier, la reine entra dans une profonde agonie. Ébranlé par l'état lamentable de sa grand-mère, son petit-fils prit place au bout du lit. Il lui redressa doucement le haut du buste et le prit dans ses puissants bras. Pendant plus de trois heures, Guillaume II berça Victoria. Les larmes aux yeux, il savait que la fin était imminente.

« Votre Majesté, je vous remercie de votre attention à mon égard. Vous avez été plus ouverte d'esprit que l'ont été mes parents. Je garderai de vous l'image d'une femme forte et courageuse », lui murmura l'empereur dans le creux de l'oreille.

Vers 17 heures, la vieille dame murmura le nom de ses enfants, incluant ceux qui étaient décédés. En début de soirée, la mort arracha la reine Victoria Iʳᵉ de Grande-Bretagne et d'Irlande à la famille royale. Dans son dernier souffle, elle revit le visage de son bien-aimé, le prince consort. Il lui tendait la main afin de l'accueillir auprès de lui. L'évêque de Winchester écrivit ses impressions dans les documents officiels de l'Église anglicane :

« Les derniers moments ressemblèrent à ceux d'un noyé qui remonte trois fois à la surface avant de s'enfoncer dans l'eau. Sa Majesté râlait et cherchait à respirer, reconnaissait les gens, les appelait par leur nom, puis elle ferma les yeux et sombra dans l'inconscience. Le dernier mot qu'elle prononça fut "Albert". Puis un grand changement survint dans son apparence et ce fut le calme complet. »

Aussitôt que la souveraine rendit l'âme, un messager fut mandaté pour se rendre séance tenante à Londres. Il devait remettre une lettre cachetée, dans laquelle le prince de Galles annonçait la mort de sa mère, au premier ministre. Entre-temps, deux servantes s'attelèrent à dévêtir la reine de ses vêtements trempés et lui enfilèrent une robe plus majestueuse. Par la suite, l'une d'elles épongea le visage de Victoria avec de l'eau salée. Guillaume II et son oncle Arthur soulevèrent le corps de la défunte. Ils le déposèrent doucement dans un cercueil en bois richement décoré. Puis toute la famille royale quitta la chambre. Quatre gardes emportèrent la bière dans laquelle reposait le cadavre de la maîtresse du manoir Osborne. L'escorte transporta la souveraine jusqu'au port de l'île de Wight. Un bateau, accosté, navigua en direction de Portsmouth, dans le sud du royaume. Une foule, informée par la présence de l'embarcation arborant les armoiries royales, se rassembla dans les rues de la ville. L'annonce du décès de la reine circula bientôt dans toute l'Angleterre. Des centaines de milliers de sujets sortirent à l'extérieur pour manifester leur chagrin. Le cercueil, installé dans un wagon, se rendit par train vers la capitale. À la gare principale de Londres, des pleurs et des cris accueillirent le convoi. Jamais le peuple britannique ne s'était autant senti abandonné. Adulée par tous, Victoria manquait cruellement à son pays. En signe de respect, tous les drapeaux de la Grande-Bretagne et de l'Empire furent mis en berne pendant quarante jours.

Le 2 février 1901, les funérailles officielles de Victoria furent célébrées à la chapelle Saint-Georges du château de Windsor. Sous un ciel gris, l'archevêque de Cantorbéry prononça le rituel religieux. Dans l'église, une assistance nombreuse écoutait les paroles du chef spirituel. Des chandelles, par dizaines, étaient allumées. Des blasons des quatre coins de l'Angleterre, de l'Écosse, du Pays de Galles et de l'Irlande étaient accrochés aux murs. La plupart des premiers ministres et des dirigeants de l'Empire prenaient place sur les bancs en bois. Tous les membres du gouvernement, sans exception, étaient présents. Une trentaine de dignités européennes firent le voyage jusqu'en Grande-Bretagne pour offrir leurs condoléances aux enfants de la défunte. La cérémonie, qui dura plus d'une heure, prit fin lorsque Lord Salisbury prononça quelques mots.

« Avec la disparition de Sa Majesté la reine, c'est toute une époque qui s'achève. Le royaume n'oubliera jamais cette grande souveraine et ses années de règne glorieux. »

À la fin des obsèques, alors qu'une chorale d'enfants chantait, un vent violent fracassa l'un des vitraux de la chapelle protestante. Des centaines de morceaux de verre tombèrent sur le plancher.

Étouffé par les voix angéliques des choristes, le bruit généré par l'incident passa inaperçu. Était-ce le signe avant-coureur de l'avenir incertain de l'Empire britannique ? Au même moment, des hommes en uniforme transportèrent le cercueil jusqu'au mausolée. Installée auprès de son époux et de sa mère, Victoria pouvait désormais reposer en paix. Dans la mort, elle retrouvait le prince Albert après un deuil inconsolable de quarante ans. Le couple royal laissera le souvenir d'un homme et d'une femme unis par un amour inconditionnel.

✍

Au moment du décès de la reine Victoria, le Royaume-Uni était à son apogée. Aucun autre pays n'était aussi puissant que cette île européenne. L'Angleterre, l'Écosse et le Pays de Galles comptaient plus de quarante millions d'habitants, soit deux fois plus que lors de l'accession au trône de la souveraine. Une véritable révolution industrielle, aidée notamment par l'implication du prince Albert, propulsera le royaume dans le XXe siècle. Autrefois isolés du reste de la planète, les sujets communiquaient désormais librement avec les autres continents. L'économie vivra une explosion considérable, au détriment de la France et de l'Allemagne. Sur le plan politique, les institutions démocratiques serviront de modèles aux colonies et aux dépendances de l'Empire.

À l'échelle mondiale, la domination britannique s'étendait partout sur la planète. La souveraine, avant de rendre l'âme, régnait sur des pays aussi divers que le Canada, l'Australie, la Nouvelle-Zélande, l'Afrique du Sud, les Indes, la Barbade et Hong Kong. Jamais un monarque de l'époque n'aura gouverné autant de territoires que cette femme. Dans plusieurs colonies, des lieux et des monuments seront nommés en son honneur.

La mort de Victoria bouleversera les membres de la famille royale, en commençant par son fils aîné. Ce dernier deviendra, à l'âge de soixante ans, le roi Édouard VII. En succédant à sa mère, il héritera d'une puissance en émergence. Son épouse, la reine Alexandra, lui donnera six splendides enfants, trois garçons et autant de filles. Lors de son couronnement, le 9 août 1902, à l'abbaye de Westminster, il sera le premier souverain de la Maison de Saxe-Cobourg-Gotha, dynastie léguée par son père. Le monarque sera reconnu pour ses nombreux voyages officiels à l'étranger. Il mourra le 6 mai 1910 et sera enterré à la chapelle Saint-Georges du château de Windsor.

Celle qui aura consacré sa vie à servir Victoria, la princesse Beatrice, aura beaucoup de difficulté à accepter la mort de sa mère. Après avoir passé des décennies auprès de la puissante femme, elle se retrouvera seule à l'âge de quarante-trois ans. Elle prendra en charge l'administration de l'île de Wight à titre de gouverneur. Elle héritera du manoir Osborne et du domaine adjacent. Malheureusement, son frère, le roi, avec qui elle n'entretenait pas d'excellentes relations, transformera le bâtiment en collège royal militaire. La princesse s'occupera de la publication du journal intime de la reine jusqu'à sa propre mort, le 26 octobre 1944.

Près de sept mois après le décès de la souveraine, l'aînée de la famille royale, la reine Victoria de Prusse, rendra l'âme, le 5 août de la même année. Elle aura donné naissance à huit enfants, dont l'héritier deviendra le futur empereur d'Allemagne. Boudée par son fils aîné Guillaume II, elle se retirera dans un petit château et consacrera le reste de sa vie à la peinture. À l'âge de soixante ans, elle mourra à la suite de l'apparition d'un cancer du sein. Tout comme sa mère, elle portera le deuil de son époux.

Pour sa part, la princesse Helena accouchera de cinq enfants, soit trois fils et deux filles. Elle fut la moins proche de ses parents et restera à l'écart sous le règne de son frère. L'épouse du prince de Holstein-Sonderbourg-Augustenbourg décédera le 9 juin 1923, à l'âge de soixante-dix-sept ans. Elle connaîtra la Première Guerre mondiale et en sera très affectée sur le plan personnel.

Louise, duchesse d'Argyll, n'aura aucune postérité avec son époux. Femme engagée, elle s'impliquera activement au sein d'organisations charitables lorsque son mari deviendra gouverneur général du Canada. À sa mort, le 3 décembre 1939, la noble aura quatre-vingt-onze ans. Plusieurs lieux seront nommés en son honneur après sa disparition, notamment la province de l'Alberta (deuxième prénom de la fille de la reine Victoria).

Un autre membre de la famille royale vivra à Ottawa au début du XXᵉ siècle. Le prince Arthur occupera la fonction de représentant de la Couronne royale au Canada. Sous ce mandat, il participera au développement du jeune pays. Lors de son décès, le 16 janvier 1942, il sera âgé de près de quatre-vingt-douze ans. De son vivant, il aura trois enfants, dont un seul lui survivra. Le deuil sera fortement présent dans la vie des descendants du dernier chef de la Maison de Hanovre.

Pour ce qui est de l'amie de la reine, l'impératrice Eugénie, elle lui survivra près de deux décennies. Bouleversée par cette perte, elle voyagera constamment entre la Grande-Bretagne, la France et son pays natal, l'Espagne. Elle deviendra, en 1906, la marraine de l'une des petites-filles de Victoria. La veuve de Napoléon III, qui avait perdu son unique enfant, cherchera un sens à ses vieux jours. Lors d'une visite incognito au palais des Tuileries, à Paris, elle s'effondrera devant les objets familiaux exposés. En apercevant le petit cheval à bascule en bois de Louis-Napoléon, la vieille femme sentira son cœur se briser. Elle tombera à genoux sur le plancher et éclatera en sanglots tant l'émotion sera forte. L'impératrice, abattue par les épreuves douloureuses, ne sera plus que l'ombre d'elle-même. Épuisée par la vieillesse, elle se retrouvera seule les dernières années de sa vie. Elle rendra l'âme le 11 juillet 1920, à Madrid. Âgée de quatre-vingt-quatorze ans, elle sera enterrée auprès de l'empereur à l'abbaye Saint-Michel, dans le sud de l'Angleterre, terre de son exil.

REPÈRES CHRONOLOGIQUES

24 mai 1819
La princesse Victoria de Hanovre naît au palais de Kensington, à Londres.

24 juin 1819
L'archevêque de Cantorbéry baptise la jeune Victoria selon les rites de l'Église anglicane.

26 août 1819
Naissance du prince Albert de Saxe-Cobourg-Gotha au château de Rosenau, près de Cobourg.

23 janvier 1820
Le prince Édouard Auguste, duc de Kent et père de Victoria, décède d'une pneumonie.

29 janvier 1820
Le roi George III, grand-père paternel de la jeune princesse, meurt d'une maladie dégénérative.

26 juin 1830
L'oncle paternel de Victoria, le roi George IV, décède de multiples maux et ne laisse derrière lui aucun héritier.

20 juin 1837
Le roi Guillaume IV meurt d'un arrêt cardiaque et laisse la Couronne royale à sa nièce Victoria.

28 juin 1838
La reine Victoria Ire de Grande-Bretagne et d'Irlande, souveraine en titre depuis l'année précédente, est

342

couronnée officiellement à l'abbaye de Westminster, à Londres.

Mai 1839
La controversée « Crise de la chambre à coucher » éclate en Grande-Bretagne au détriment de la souveraine inexpérimentée.

10 février 1840
Victoria épouse son cousin maternel, Albert de Saxe-Cobourg-Gotha, dans la chapelle royale du palais St. James, à Londres.

10 juin 1840
La reine échappe de justesse à une tentative d'assassinat d'Edward Oxford dans la capitale britannique.

21 novembre 1840
La princesse Victoria, premier enfant du couple royal, naît au palais de Buckingham, à Londres.

9 novembre 1841
Le premier fils du couple royal, le prince Albert (futur Édouard VII), voit le jour au palais de Buckingham, à Londres.

1842
La souveraine est la cible de deux tentatives d'assassinat (le 29 mai par John Francis et le 3 juillet par John William Bean).

25 avril 1843
La princesse Alice, deuxième fille de Victoria et Albert, naît au palais de Buckingham, à Londres.

6 août 1844
Le deuxième fils du couple royal, le prince Alfred, voit le jour au château de Windsor, à Windsor.

1845
Début de la Grande Famine sur l'île d'Irlande et ses conséquences désastreuses sur la réputation de la souveraine.

25 mai 1846
La princesse Helena, troisième fille de la reine et du prince consort, naît au palais de Buckingham, à Londres.

18 mars 1848
La quatrième fille du couple royal, la princesse Louise, voit le jour au palais de Buckingham, à Londres.

19 mai 1849
William Hamilton, un Irlandais sans emploi, tente d'assassiner la souveraine à Londres.

1er mai 1850
Le prince Arthur (futur gouverneur général du Canada), troisième fils de Victoria et Albert, naît au palais de Buckingham, à Londres.

27 juin 1850
Un ancien officier militaire britannique, Robert Pate, agresse la reine avec une canne à Londres.

1er mai 1851
La reine inaugure, en compagnie de son époux, la première exposition universelle (*Great Exhibition of*

Jorks of Industry of All Nations) au palais de
al, à Londres.

vril 1853
dernier fils du couple royal, le prince Leopold,
it le jour au palais de Buckingham, à Londres.

Mars 1854
Le Traité d'alliance oblige la Grande-Bretagne, pays
signataire, à prendre part à la guerre de Crimée.

14 avril 1857
La princesse Beatrice, dernière fille de la reine et du
prince consort, naît au palais de Buckingham, à
Londres.

1857
Victoria décerne officiellement le titre de prince
consort à son époux, Albert de Saxe-Cobourg-Gotha.

16 mars 1861
La princesse Victoria, duchesse de Kent et mère de
la reine, décède.

14 décembre 1861
Le prince Albert de Saxe-Cobourg-Gotha décède
d'une fièvre typhoïde au château de Windsor et laisse
son épouse Victoria dans un deuil inconsolable.

Printemps 1872
Un jeune Irlandais, Arthur O'Connor, agresse la
souveraine avec une arme à feu.

1er mai 1876
Victoria ajoute le titre d'impératrice des Indes à sa titulature officielle.

14 décembre 1878
Décès de la princesse Alice, fille de la souveraine, devenue grande-duchesse de Hesse et du Rhin, après avoir contracté la diphtérie.

2 mars 1882
Un Écossais, Roderick McLean, tente d'assassiner la reine, à Windsor.

28 mars 1884
Décès du prince Leopold, fils cadet de la souveraine, d'hémophilie, à Cannes.

1897
Victoria célèbre son jubilé de diamant en grande pompe dans les rues de la capitale britannique.

31 juillet 1900
Décès du prince Alfred, fils de la reine, d'un cancer de l'œsophage au château de Rosenau, près de Cobourg.

22 janvier 1901
La reine Victoria Ire de Grande-Bretagne et d'Irlande décède au manoir Osborne, sur l'île de Wight.

REMERCIEMENTS

Je profite de la parution de *Victoria, la veuve régnante*, dernier livre de la collection « Les reines tragiques », pour souligner l'importance des lectrices et des lecteurs dans ma vie. De nombreuses personnes m'ont écrit ou sont venues me rencontrer, et chaque occasion m'a permis d'apprécier leurs commentaires constructifs. Ces gens sont la raison première de mon implication comme auteur.

Merci à Brigitte Gemme pour m'avoir fait part à plusieurs reprises de sa fierté à mon égard. À plus d'une occasion, elle m'a montré que j'étais un membre à part entière de sa famille. Son soutien moral m'a permis de me sentir apprécié au sein de son entourage. Sans elle, je n'aurais jamais rencontré la personne avec qui je partage mes moments de bonheur et de tristesse. Je lui serai toujours reconnaissant d'avoir croisé mon chemin.

Merci à Nathalie St-Amant pour ses bons mots. Ses encouragements répétés me servent de motivation dans mon travail d'écriture.

Merci à Solange Gauthier pour ses paroles élogieuses au sujet des personnages des trois premiers tomes de la collection.

Merci à Hélène Fortin pour la fierté qu'elle m'a manifestée dans nos échanges.

Merci à Véronique Gemme pour ses bons mots.

Je désire également témoigner ma gratitude aux différents professionnels du milieu du livre qui ont contribué à leur façon au succès de mes quatre reines.

Vous pouvez communiquer avec moi par courriel à l'adresse info@dannysaunders.ca ou en visitant le www.dannysaunders.ca. Vous pouvez également vous joindre à ma page Facebook. Il est toujours agréable de recevoir les commentaires des lectrices et des lecteurs d'ici ou d'ailleurs.